Copiar os outros é sempre ruim? Em tempos de Ctrl+C e Crtl+V, massificação cultural e reprodução em série, a no[illegible] clama por autenticidade. A juventude de[illegible] esanal, prefere bicicletas a automó[illegible] food". Neste novo livro, meu ami[illegible] seus leitores podem encontrar re[illegible] risto continua preenchendo tant[illegible] perenes como aqueles que pulsam no iníci[illegible] 21. Copiar Jesus não dilui nossa identidade; antes, outorga-lhe consistência. É exatamente este o nosso chamado: sermos imitadores de Cristo, andando em amor como ele andou.



DAVI LAGO
Pastor, escritor e mestre em Filosofia do Direito

Ser uma cópia de Jesus é o grande desafio para todos os cristãos que buscam cumprir sua missão no mundo. Porém, a grande pergunta é: como, onde, por que e quando nos tornamos uma cópia de Jesus? Com muita biblicidade, habilidade e singeleza, Douglas mostra o caminho que devem trilhar todos os que desejam fazer a diferença no mundo como autênticas cópias de Cristo. Conheço o autor desde o berço e sei quanto ele busca ser uma cópia de Jesus.

JOSUÉ GONÇALVES
Presidente do ministério Família Debaixo da Graça

Fui edificado já nos primeiros capítulos de *JesusCopy*. Douglas presenteia o Corpo de Cristo com esta obra, que certamente abrirá os olhos de muitos acerca do que o Senhor realmente espera de nós, mediante uma linguagem simples como o próprio autor. Desejo que este livro abençoe você como me abençoou.

RODOLFO ABRANTES
Cantor e compositor

Esta obra escrita por Douglas Gonçalves retrata, de maneira inspiradora, nossa paixão por Cristo e o desejo de uma vida transformada à sua semelhança. Os passos para alcançar a intimidade com Deus são apresentados de maneira prática, com base na experiência do autor. Recomendo a leitura deste livro, que, com certeza, produzirá frutos para a eternidade.

TEÓFILO HAYASHI
Líder e fundador do Dunamis Movement

# JESUSCOPY

DOUGLAS GONÇALVES

# JESUSCOPY

A REVOLUÇÃO DAS CÓPIAS DE JESUS

Publicado por Editora Mundo Cristão

Os textos das referências bíblicas foram extraídos da *Nova Versão Internacional* (NVI), da Biblica Inc., salvo indicação específica. Eventuais destaques nos textos bíblicos e citações em geral referem-se a grifos do autor.



*CIP-Brasil. Catalogação na publicação*
*Sindicato Nacional dos Editores de Livros, RJ*

---

G625j

Gonçalves, Douglas
JesusCopy: a revolução das cópias de Jesus / Douglas Gonçalves. – 1. ed. – São Paulo: Mundo Cristão, 2016.
160 p. ; 21 cm.

ISBN 978-85-433-0176-1

1.Vida Cristã. 2. Fé. I. Título.

16-33938

CDD: 248.4
CDU: 27-584

---

*Categoria*: Espiritualidade

Publicado no Brasil com todos os direitos reservados por:
Editora Mundo Cristão
Rua Antônio Carlos Tacconi, 69, São Paulo, SP, Brasil, CEP 04810-020
Telefone: (11) 2127-4147
www.mundocristao.com.br

1ª edição: setembro de 2016
7ª reimpressão: 2019

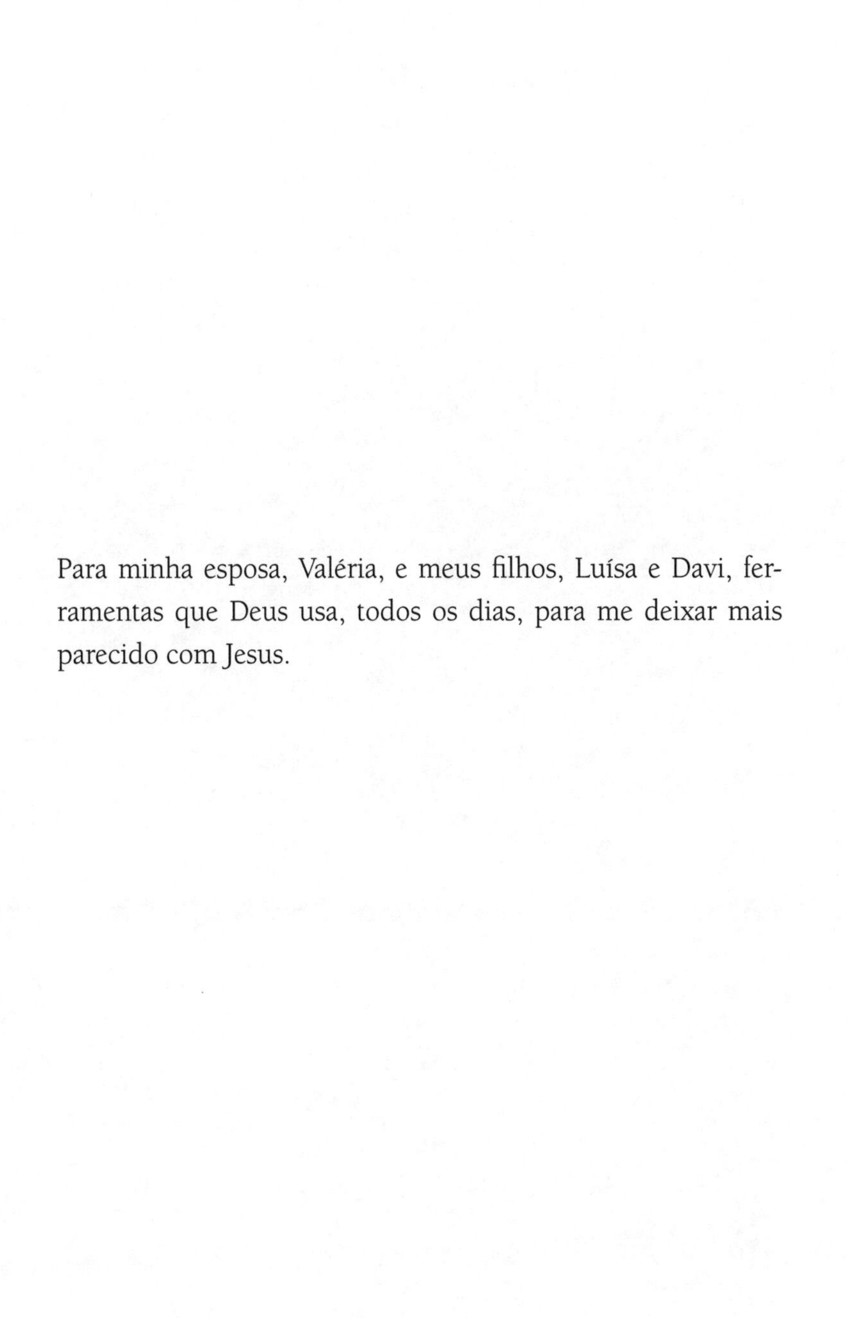

Para minha esposa, Valéria, e meus filhos, Luísa e Davi, ferramentas que Deus usa, todos os dias, para me deixar mais parecido com Jesus.

# SUMÁRIO

# AGRADECIMENTOS

A Deus Pai, a quem entrego todo o louvor, toda a honra e toda a glória. A Jesus, meu Salvador e modelo a ser copiado todos os dias. E ao Espírito Santo, que nos guia em toda a verdade.

Aos meus pais, Josué e Rousemary Gonçalves, por terem me apresentado o caminho da salvação e sido modelos de vida dedicada ao reino de Deus.

À minha esposa, Valéria, por ter lido cada palavra desta obra e me incentivado a dar o meu melhor em cada frase dela.

Ao Salomão Santos, por não apenas cuidar da minha vida, mas também me ajudar a analisar a teologia de cada página deste livro.

Ao Maurício Zágari, editor da Mundo Cristão, que fez que o texto se tornasse uma obra de arte.

Ao Renato Fleischner, diretor da Mundo Cristão, por acreditar na mensagem que prego e investir para que fosse divulgada em todo o Brasil.

# APRESENTAÇÃO

O processo de conversão é algo revolucionário, que transforma radicalmente a vida daquele que é salvo. Cada pessoa tem uma história de salvação diferente, mas, excluindo-se as peculiaridades de cada uma, o processo sempre terá determinadas características em comum: o indivíduo vivia imerso em um lodaçal de pecados sem arrependimento, até o dia em que teve contato com as boas-novas da salvação. Naquele momento, o Espírito Santo agiu sobrenaturalmente sobre o seu intelecto, e a exposição do evangelho passou a lhe fazer sentido. Foi quando, envolvido pela graça de Deus, ele se viu esmagado pela convicção do próprio pecado e pela certeza absoluta de que Jesus morreu para salvá-lo. Então, essa pessoa recebeu Cristo como Senhor de sua vida e Salvador de sua alma, arrependeu-se de suas práticas ilícitas, tomou asco do próprio pecado e passou a viver em consonância com sua nova crença, fiel aos mandamentos de Deus.

Se essa é a descrição do processo de conversão de todos aqueles que se dizem cristãos, é de esperar que, de fato, seja revolucionário e que a transformação radical de quem passa por ele seja bastante evidente. Porém, é notório que há nas igrejas enorme quantidade de pessoas que não demonstram frutos de arrependimento. Muitas continuam arrogantes, egoístas, hipócritas, mentirosas, desagradáveis, explosivas, agressivas, fraudadoras, gananciosas ou donas de outras características que definem exatamente o que um cristão *não* deve ser.

A pergunta que naturalmente surge é: por que isso acontece?

Fato é que o que define um cristão de verdade não é a frequência a uma igreja ou a prática de rituais e liturgias. Levantar a mão e ir à frente na hora do apelo à salvação é fácil. Assistir a aulas sobre os fundamentos do cristianismo também. Para muitos, o batismo pode ser apenas um banho refrescante. Bater ponto em um ou dois cultos semanais tampouco exige considerável empenho de alguém. Nada disso faz de uma pessoa um cristão legítimo. O que define um cristão?

*O fato de ele ser uma cópia de Jesus.*

Paulo deixou essa realidade bem clara. Ele escreveu: "Pois aqueles que de antemão conheceu, também os predestinou *para serem conformes à imagem de seu Filho*, a fim de que ele seja o primogênito entre muitos irmãos. E aos que predestinou, também chamou; aos que chamou, também justificou; aos que justificou, também glorificou" (Rm 8.29-30). Deus não chama pecadores com a finalidade de assistirem a cultos; não é para isso que ocorre a conversão. Tampouco a fim de entregar o dízimo. Menos ainda para que passem a ouvir música cristã. Tudo isso é bom e deve fazer parte da vida de um servo do Senhor, mas ele nos chamou, isto sim, para nos conformar à imagem de seu Filho, Jesus.

Tudo o que um cristão faz deve ter como alvo copiar Cristo. Ao glorificar o Pai, estamos fazendo o que Jesus fez. Ao amar o próximo como a nós mesmos, estamos fazendo o que Jesus fez. Ao ajudar os doentes, pobres e aflitos, estamos fazendo o que Jesus fez. Ao devolver o mal com o bem, estamos fazendo o que Jesus fez. Ao negar nossa inclinação natural e tomar nossa cruz, estamos fazendo o que Jesus fez. Toda a vida do cristão deve ser como a de Cristo.

Esta é a proposta de Douglas Gonçalves em *JesusCopy*: chamar todo aquele que se diz cristão ao compromisso real e revolucionário de ser como Cristo em tudo aquilo que pensa, diz, faz e deixa de fazer. O autor denuncia problemas e aponta soluções e caminhos na jornada com o Mestre, no intuito de despertar quem está desatento às próprias práticas, a fim de que tome consciência de suas falhas e busque se conformar à imagem do Filho.

A Mundo Cristão deseja que este livro leve você a uma reflexão produtiva e transformadora. E que, se detectar que ainda há áreas em sua vida que não estão de acordo com aquilo que Jesus deseja, busque-o em oração fervorosa e estudo aprofundado da Palavra, para que possa, pelo poder do Espírito Santo, ser como ele é.

Boa leitura!

MAURÍCIO ZÁGARI
Editor

# PREFÁCIO

Tenho a subida honra de prefaciar o livro *JesusCopy*, do ilustre pastor Douglas Gonçalves. Faço-o com entusiasmo e alegria e por três sobejas razões.

Primeiro, por causa da vida do escritor. Conheço os pais de Douglas e conheço Douglas há muitos anos. Sei de sua integridade e de seu zelo pelas coisas de Deus. Não é um teórico da fé, mas um praticante da Palavra. Não fala do alto da prepotência humana, mas da simplicidade de um coração que ama a Deus e sua obra. A vida de Douglas é o avalista de seu ministério. Seu caráter ilibado, sua vida irrepreensível e seu testemunho fiel chancelam estas páginas. Não existe um abismo entre o que ele redige e o que vive. Sua vida recomenda seus escritos.

Segundo, por causa do conteúdo de *JesusCopy*. O livro de Douglas é criativo sem ser banal. É simples sem deixar de ser profundo. Aborda diversos aspectos da vida cristã com clareza, interpretando verdades sublimes e aplicando-as à vida cotidiana. O livro atende às demandas da mente e às necessidades do coração. Traz luz à primeira e fogo ao segundo. Doutrina e ensina. Exorta e corrige. Confronta e consola. O conteúdo desta obra não está fincado nas elucubrações do autor, mas enraizado na eterna, infalível, inerrante e suficiente Palavra de Deus. Douglas não é um alfaiate do efêmero, mas um escultor do eterno. Trata não de coisas banais, mas das verdades eternas. Este livro não é uma panaceia para aplacar as tensões desta vida, mas remédio divino para as grandes necessidades da alma.

Terceiro, por causa do estilo do escritor. Douglas inicia seu ministério literário com grande desenvoltura. Tem profundidade e eloquência. Tem fidelidade e graça. Tem conteúdo e forma. Seu texto é fácil de ler. Seu estilo é belo. Sua maneira de expor os assuntos mais complexos torna o tema aqui abordado acessível a todos os leitores.

Recomendo, portanto, este livro. Minha oração é que ele seja uma ferramenta preciosa para levar pessoas a Cristo e edificar o povo de Deus. Que esta obra se espalhe por todos os recantos da pátria e além das fronteiras, levando, com diáfano entendimento, a mensagem da graça de Deus a milhares de corações!

HERNANDES DIAS LOPES
Pastor, escritor e conferencista

"Tornem-se meus imitadores, como eu o sou de Cristo."

1Coríntios 11.1

# INTRODUÇÃO

No final de 2011, eu e minha esposa estávamos pedindo a Deus, em oração, que nos apontasse uma direção para o trabalho que desenvolvíamos com os jovens de nossa igreja. Percebíamos, claramente e com indignação, que a juventude que liderávamos vivia em um estado de mornidão espiritual. Por isso, comecei a tentar encontrar um meio de levar aqueles rapazes e moças a uma vida espiritualmente mais vibrante. Foi quando, no meio de um culto, a solução me visitou de súbito: o que eles precisavam era, simplesmente, se parecer com Jesus. Pensei um pouco e, por fim, desenvolvi o conceito JesusCopy, que nada mais é do que se tornar uma cópia de Jesus.

Um dos versículos principais desse conceito é "Sabemos que Deus age em todas as coisas para o bem daqueles que o amam, dos que foram chamados de acordo com o seu propósito" (Rm 8.28). Escuto com frequência essa afirmação bíblica. As palavras do apóstolo Paulo deixam claro que Deus está no controle, nos ama e orquestra todas as situações para o nosso bem. Mas, ao analisá-las com mais profundidade, logo deparamos com uma pergunta: o que, exatamente, significa estar *bem*? O que Paulo, inspirado por Deus, quis dizer nesse versículo com a palavra *bem*? Alguns responderão que estar bem é prosperar financeiramente, e outros que é ter saúde. Haverá quem afirme que é ser feliz ou mesmo ter sucesso profissional, ministerial ou familiar.

Mas o que Deus quis dizer, exatamente, com *bem*?

A resposta está no versículo seguinte: "Pois aqueles que de antemão conheceu, também os predestinou para serem conformes à imagem de seu Filho, a fim de que ele seja o primogênito entre muitos irmãos" (Rm 8.29). Estar bem, aos olhos de Deus, é se parecer com o Filho, Jesus. Em outras palavras, o que Paulo estava dizendo é: "Sabemos que Deus age em todas as coisas para que aqueles que amam a Deus se tornem parecidos com o seu Filho".

O propósito de toda ação divina em nossa vida é tornar-nos cada dia mais parecidos com Jesus. Este também é o seu propósito? Você quer se parecer com Cristo? É importante refletir sobre isso, pois o maior desejo que um cristão pode ter é se tornar semelhante a Jesus!

Nesse versículo, Paulo revela que a vontade de Deus é ter uma família com muitos filhos que copiem Jesus. A família do Senhor tem crescido no Brasil: vemos muitas pessoas se convertendo, e muitas igrejas, surgindo. Alguns anos atrás, eu sofria *bullying* e perseguição na escola por ser evangélico, ainda mais por ser filho de pastor. Agora, porém, o protestantismo virou moda. É explícito o aumento da quantidade de igrejas em todas as cidades. É possível perceber também a multiplicação do número de fiéis. Até mesmo as grandes emissoras de televisão estão atentando para esse fenômeno, produzindo novelas e outros programas destinados ao público protestante.

Mas algo me incomoda quando observo esse crescimento: uma vez que há mais igrejas e evangélicos no Brasil, a situação do país não deveria melhorar? Não seria de esperar que a corrupção diminuísse? A porcentagem de divórcios não deveria cair? A quantidade de usuários de drogas, adúlteros, assassinos e ladrões não haveria de sofrer, ao menos, uma leve queda? Infelizmente, não é o que as estatísticas mostram.

Viajei para ministrar em dois cultos de uma grande igreja. Ao final do primeiro, um jovem me procurou para pedir conselhos sobre seu relacionamento com uma moça da igreja com quem vinha saindo. Até aí, tudo bem. O problema é que ela era casada. E, para meu espanto, os dois estavam orando e pedindo a Deus uma direção! Acreditavam que o Pai os direcionava para que ela se divorciasse, "a fim de regularizar a situação", pois eles não queriam ficar fora da vontade divina! Esse exemplo mostra claramente que muitos se consideram evangélicos, mas agem de modo totalmente contrário ao evangelho, o que acaba criando uma péssima imagem dos protestantes perante os não cristãos.

A verdade é que frequentadores de igrejas evangélicas não vão mudar o mundo; a diferença virá daqueles que decidirem ser cópias de Jesus. Porém, quanto mais parecido com Cristo uma pessoa se torna, mais vão querer crucificá-la. Se você deseja ser uma cópia do Senhor, prepare-se para ter seus sonhos alterados, suas prioridades invertidas e seus pensamentos transformados. Você verá amigos se afastarem e projetos serem interrompidos. Mas não se preocupe, pois, se permanecer fiel até o fim, um dia você estará de pé diante de Deus, rodeado pelos heróis da fé e pelo grupo de pessoas que chegaram ao conhecimento de Cristo por seu intermédio e, enfim, ouvirá: "Muito bem, servo bom e fiel! Você foi fiel no pouco, eu o porei sobre o muito. Venha e participe da alegria do seu senhor!" (Mt 25.21). Você perceberá, então, que valeu a pena se tornar uma cópia de Jesus e suportar todas as perdas.

A esse respeito, deixe-me contar uma história. Em 2000, quando eu tinha 12 anos, vi pela primeira vez na igreja uma jovem chamada Valéria, que me chamou a atenção. Ambos tínhamos sido convidados para participar de uma peça de teatro, que seria apresentada na festa em celebração aos quinhentos anos do descobrimento do Brasil pelos europeus. Nossa igreja havia montado um grande palco no meio da rua, para um evento evangelístico. Eu faria o papel do cego Bartimeu, e Valéria representaria uma moça que fazia parte da multidão que seguia Jesus. Depois de conviver em muitos ensaios, começamos a gostar um do outro. Começamos a trocar cartinhas e presentes e a enviar recadinhos por amigos. Lembro-me de minhas mãos ficando frias quando eu a via e do meu estômago se enchendo de "borboletas". Nós nos paqueramos por alguns anos, mas nada nunca foi oficializado. Mudamos de igreja, cada um foi para uma comunidade diferente, e nos afastamos. Depois de cinco anos, voltamos a nos falar e percebemos que todo aquele sentimento de adolescente ainda existia. Conversei com meus pais e com os dela, a quem pedi a bênção para começarmos a namorar. Três anos depois, nos casamos e, após quatro anos, já tínhamos nossos filhos, Luísa e Davi. Amo minha família. Mas... como podemos ter certeza de que esse amor é verdadeiro?

Quando estou pregando ou palestrando, costumo fazer uma dinâmica em que peço à plateia que descubra, apenas por meio de perguntas, se realmente amo minha esposa. As perguntas mais comuns são: "Você daria a vida por ela?", "Você deixa seu cartão de crédito com ela?", "Quanto tempo você dedica a ela?", "Quanto tempo você pensa nela ao longo do dia?", "Você sabe de que ela gosta e o que não suporta?", "Você declara seu amor por ela publicamente?", "Você para a fim de ouvi-la?", "Você teria coragem de abrir mão de um sonho seu para realizar um sonho dela?".

Enquanto me fazem as perguntas, eu as anoto. Depois, peço para fecharem os olhos e imaginar uma cena como a que Pedro viveu após a ressurreição de Cristo. Digo-lhes: "Imagine que você está na praia, acompanhado de Jesus. Ele está à sua frente e lhe pergunta: 'Você me ama?'". Em seguida, começo a repetir as perguntas da plateia, cujo entendimento é o de que as respostas a tais questões podem revelar o amor de alguém por outra pessoa. Então, se queremos saber se amamos Cristo, devemos nos perguntar: "Você daria a vida por ele?", "Você deixa suas finanças disponíveis segundo a vontade dele?", "Quanto tempo você dedica a ele?", "Quanto tempo você pensa nele ao longo do dia?", "Você sabe de que ele gosta e o que não suporta?", "Você declara seu amor por ele publicamente?", "Você para a fim de ouvi-lo?", "Você teria coragem de abrir mão de um sonho seu para realizar um propósito dele?".

Qual seria a resposta verdadeira para cada uma dessas perguntas? Não pense em qual seria a resposta ideal, aquela que as pessoas gostariam de ouvir ou mesmo a que os outros acham que você diria. Pense em qual seria verdadeiramente a sua resposta para cada uma dessas perguntas. Aquilo que você responder indicará como é sua relação com o Cristo a quem deve copiar.

Quando conhecemos pessoas solteiras, gostamos de apresentá-las a outras do sexo oposto a quem possam vir a amar. Eu, por exemplo, tenho uma tia que não se casou. Naturalmente, eu e outros parentes tentávamos sempre encontrar possíveis pretendentes para ela. Se algum senhor solteiro passava a frequentar a igreja, nós já começávamos a sondar se haveria alguma possibilidade de ele conhecer nossa tia. Quando percebíamos que ele combinaria com ela, começávamos a falar de um para o outro, logicamente destacando todas as qualidades de cada um. Ressaltávamos as características físicas, o desempenho profissional, as habilidades, a beleza e o compromisso com Cristo.

Para dar uma ajuda, marcávamos um jantar em casa e convidávamos o pretendente. Jantávamos rapidamente, a fim de deixar minha tia a sós com ele, de modo que pudessem conversar mais à vontade. Passado algum tempo, o candidato ia embora; então perguntávamos: "E aí, tia, o que você achou dele?", ao que ela respondia: "Ele é bem simpático, mas acho que não é para mim".

Com o tempo descobrimos algo. Nós podemos falar todas as boas características de alguém para um possível pretendente, elogiá-lo ao máximo e, até mesmo, marcar um encontro entre os dois. Mas o amor só nasce do mover do coração. Amar vem de dentro e depende de uma escolha, de uma decisão.

Minha função ao escrever este livro é exatamente esta: descrever para você o homem mais perfeito que existe e elogiá-lo ao máximo, encontrando as melhores palavras para isso. Meu desejo é marcar um encontro entre você e Jesus. Porém, amá-lo é algo que vem de dentro, não depende de mim.

É necessário que o Espírito Santo abra os olhos de seu coração, a fim de que você veja a beleza e a grandiosidade desse homem maravilhoso e, assim, passe a amá-lo tão profundamente que almeje se tornar como ele é. Ou seja, que busque se tornar uma cópia dele.

Este livro é para os inconformados. Caso você esteja totalmente feliz com a situação da Igreja e com sua vida espiritual, é possível que aquilo que lerá nas próximas páginas não lhe cause nenhum impacto. Entretanto, se você está, como eu, desgostoso com a condição espiritual dos evangélicos, se o seu coração arde pela necessidade de um avivamento, de um movimento de santidade que transforme a Igreja e afete a sociedade como um todo, este livro é para você.

Leio histórias bíblicas como as de Noé e a arca, Moisés e o mar Vermelho, Daniel e a cova dos leões, Elias e os profetas de Baal... e fico inconformado ao perceber que muitos olham para esses acontecimentos como fábulas ou histórias infantis. Tiago é direto ao dizer: "Elias era humano como nós. Ele orou fervorosamente para que não chovesse, e não choveu sobre a terra durante três anos e meio" (Tg 5.17). Não podemos nos esquecer de que todos os heróis da fé, que tanto admiramos, foram homens iguais a nós, e tudo o que fizeram nós também podemos fazer — pois Deus continua o mesmo, ele não mudou.

Quero viver milagres como os que os homens e as mulheres mencionados na Bíblia viveram. Você também quer? Então, o caminho é buscar ser uma cópia de Cristo. Minha oração é que este livro seja um divisor de águas em sua vida; que daqui a alguns anos eu possa me encontrar com você no céu e ouvir o testemunho de como sua vida mudou depois que Deus usou este livro para fazê-lo mais parecido com o Filho dele.

# 1

# SÍNDROME DO MODO SONECA

Se existe algo vital para o ser humano é dormir. Deus nos criou como uma máquina que necessita ser desligada diariamente por algumas horas para que não pare de funcionar. Uma pessoa com privação de sono pode agir de forma muito estranha. Sou exemplo disso. Quando eu tinha 14 anos, a igreja em que congregava lançou um desafio: orarmos de madrugada por um período de quinze dias. Durante duas semanas nos levantaríamos às três horas da madrugada e oraríamos por uma hora.

No primeiro dia, meu pai me chamou. Levantei, lavei o rosto para despertar e comecei a falar com Deus. Clamei pela igreja, pelos ministérios, por minha família, meus amigos... orei por tudo e por todos. Ao final, voltei a dormir, com a sensação de missão cumprida.

No segundo dia de campanha, fui acordado por meu pai no mesmo horário. Escorreguei da cama e caí de joelhos no chão. Comecei a sentir que o raciocínio estava alterado: orei por temas repetidos, esqueci o nome de algumas pessoas e até mesmo perdi a linha de pensamento. Mas consegui! Com esforço, mas consegui! Mais uma noite de campanha vencida!

Terceiro dia. "Douglas, acorda, meu filho, vamos orar", chamou meu pai às três horas da madrugada. Eu sentia muito sono. Parecia que o corpo estava me cobrando aquelas duas horas que roubei dele nos dias anteriores. Desabei de joelhos ao lado da cama e comecei a orar. Era ainda mais difícil me concentrar do que antes. As frases que minha mente formulava não tinham muito sentido. Confesso que desisti quando disse para Deus: "Senhor, abençoe o laço do passarinheiro". Não ria; é sério. Ao perceber o que eu havia dito, levantei-me, entrei embaixo das cobertas e assumi minha derrota.

Nós fazemos coisas muito estranhas quando estamos com sono. Uma jovem me contou que, certa manhã, sua mãe a chamou para ir à escola. A moça então sentou-se na cama, deu um tapa no rosto da mãe, deitou-se novamente e voltou a dormir. Você provavelmente também já vivenciou alguma situação estranha relacionada ao estado de sonolência.

Moro em uma rua paralela à do local onde trabalho e dou entrada no serviço sempre às oito horas da manhã. Programo o alarme de meu celular para tocar às sete e meia. Porém, o aparelho tem um recurso muito tentador, chamado *modo soneca* — aquele botão que, quando acionado, nos permite dormir por mais dez minutos e, então, o alarme volta a soar. São os dez minutos de sono mais deliciosos da vida!

Certa manhã, fui despertado pontualmente pelo celular, mas estava tão cansado que decidi ativar o modo soneca. Virei para o lado e voltei a dormir. Passados dez minutos, o alarme soou novamente. Não tive dúvidas e acionei o modo soneca de novo. De repente, acordei sem despertador, sem barulho nenhum. Olhei para o relógio e percebi que estava atrasadíssimo: eram oito horas e quarenta minutos. Levantei de um pulo e, esbaforido, abri a porta do guarda-roupa, peguei a primeira calça que vi, vesti uma camiseta qualquer e saí correndo para escovar os dentes.

Enquanto estava nessa correria, veio ao meu coração a lembrança de que existem muitas pessoas vivendo situações semelhantes, espiritualmente falando. Deus tenta nos despertar do sono espiritual de diferentes maneiras, como pregações, louvores e livros. Nessas ocasiões, quando sentimos que Deus nos está chamando para levantar, sair da apatia e agir, muitas vezes utilizamos o modo soneca. É quando dizemos coisas como: "Espere mais uma semana, Jesus", "Deixe-me dormir só mais um mês", "Jesus, dê-me mais um tempinho de sonolência", "Assim que terminar a faculdade, eu acordo". E, desse modo, entramos no modo soneca espiritual.

O hábito de estender o sono pela manhã chama-se *síndrome do modo soneca* (do inglês *snooze button syndrome*). As pessoas que sofrem dessa condição são viciadas em usar esse recurso. Elas chegam a programar o despertador para tocar muitos minutos antes do necessário, apenas para poder dar aquela cochiladinha a mais. Às vezes, tais indivíduos nem voltam a dormir, mas ficam deitados, com pensamentos do tipo: "Quantas vezes posso apertar o modo soneca sem me atrasar?". O grande perigo é que o raciocínio fica alterado quando estamos com sono, o que nos leva a dizer absurdos ("Abençoe o laço do passarinheiro") ou a dar um tapa no rosto de nossa mãe. Sonolentos, superestimamos o tempo e calculamos que ainda temos mais alguns minutos para continuar dormindo. O problema é que, ao levantar, percebemos que o raciocínio estava comprometido e, na verdade, estamos atrasados! Perdemos a hora!

Diversas passagens bíblicas falam sobre o sono. Paulo, por exemplo, menciona esse estado para fazer um alerta: "Desperta, ó tu que dormes, levanta-te dentre os mortos e Cristo resplandecerá sobre ti" (Ef 5.14). Essas palavras funcionam como um despertador, um clamor para que as pessoas se levantem, visto que já é hora de acordar. Se na vida física dormir é essencial, na espiritual é fatal: ouça o alarme de Deus, que o chama ao despertamento.

Ao ouvir a voz divina chamando-o a agir com o objetivo de tornar-se uma cópia de Jesus, o que você faz? Levanta-se ou aciona o modo soneca? Não quero assustá-lo, mas você já parou para pensar que este pode ser o último livro que lerá? Talvez não tenha tempo nem mesmo de terminá-lo. Quando seu coração baterá e seus olhos piscarão pela última vez? Não sabemos o dia nem a hora; por isso, o dia de acordar é hoje, a hora é agora! Tornar-se uma imitação de Cristo é urgente. Portanto... acorde!

## Como acordar?

Na vida espiritual, acordar significa deixar o conforto e o calor das cobertas do comodismo e enfrentar o frio das disciplinas espirituais. É deixar a passividade e entregar-se ao esforço que produz resultados desejados pelo Senhor. Decida levantar-se. Paulo escreveu:

> Por isso é que foi dito: "Desperta, ó tu que dormes, levanta-te dentre os mortos e Cristo resplandecerá sobre ti". Tenham cuidado com a maneira como vocês vivem; que não seja como insensatos, mas como sábios, aproveitando ao máximo cada oportunidade,

porque os dias são maus. Portanto, não sejam insensatos, mas procurem compreender qual é a vontade do Senhor.

Efésios 5.14-17

Você já acordou à noite para beber água ou ir ao banheiro e, no caminho, bateu com o dedinho do pé em algum móvel? A dor é terrível. Isso só acontece porque, sonolentos, perdemos a capacidade de ter cuidado com a maneira como vivemos. Acorde! Gaste alguns minutos pensando em você, no modo como tem vivido. Lembre-se das escolhas que fez nos últimos tempos. A quem você escuta? Aonde tem ido? O que sai da sua boca? Em que direção seus olhos se voltam? Como está sua rotina? Em que categoria espiritual você se encaixaria: ignorante ou sábio?

Paulo considerou que os dias em que vivia eram maus. Imagine o que ele diria do nosso tempo? Sim, pois os dias em que vivemos são horripilantes. Não temos tempo a perder; é necessário aproveitar cada segundo porque o mundo aguarda que as cópias de Jesus acordem.

Todo dia, milhares de vídeos são enviados para *sites* da Internet, milhões de frases e fotos são postados em redes sociais, novos jogos de *video game* surgem, bem como filmes, seriados, programas de TV, canais a cabo, aparelhos eletrônicos, automóveis, times de futebol, campeonatos... Por que tanto entretenimento? O que tudo isso gera em sua vida espiritual? Será que você se entrega a essas distrações e, ao final do dia, deitado em sua cama, pede desculpas ao Senhor, alegando que não teve tempo de orar e ler a Bíblia? Concordo com o teólogo John Piper quando diz que uma das maiores utilidades de certas redes sociais será provar, no último dia, que a falta de oração não era por escassez de tempo.

O resultado dessa suposta "falta de tempo" é a incompreensão acerca do que o Senhor quer que façamos. Paulo considera desajuizada, insensata, a pessoa que vive sem saber o que Deus quer para sua vida. Mas só é possível descobrir o que o Criador tem para nós se soubermos ouvi-lo. Sempre corto meu cabelo em um salão perto de onde trabalho. Certa tarde, eu estava na recepção, sentado, aguardando a minha vez de ser atendido. Sem nada para fazer, fiquei observando a cabeleireira secar o cabelo de uma cliente. Antes de terminar o serviço, ela desligou o secador, pois o celular estava tocando. Ela atendeu e ligou novamente o secador. Percebi que ela não estava conseguindo ouvir a pessoa com quem falava ao aparelho e, por isso, gritava: "O quê? Não estou ouvindo! Fale mais alto! Como? O quê? Hein? Nossa, a ligação está horrível!". Na verdade, não era a ligação que estava ruim, nem a pessoa do outro lado que falava baixo; era o barulho do secador, bem ao lado da orelha, que a impedia de ouvir.

Às vezes me pego agindo de modo semelhante com Deus: "O quê? Não estou ouvindo! Fale mais alto! O que o Senhor quer que eu faça? Repita, por favor!". Nessas ocasiões, penso que Deus não está sendo claro, mas, na verdade, eu é que não desligo os barulhos irritantes que há ao meu redor. Desligue, baixe o volume, desconecte, dê um *logout*. Você vai perceber que o Senhor está falando, de forma muito clara e audível. Parece um paradoxo, mas, *para acordar, é preciso silêncio*.

Você precisa acordar? Será que se identificou com a síndrome do modo soneca? Se sua resposta for positiva, não perca mais tempo. O momento de acordar é agora. Nada garante que Deus lhe dará uma nova oportunidade; por isso, toda vez que ler ou ouvir uma palavra bíblica e se sentir confrontado pelo Espírito Santo, apresse-se em atender ao chamado.

Caso você deixe o tempo passar e ignore a voz de Deus, da próxima vez que ele falar será mais fácil ignorar. Isso ocorrerá sucessivamente e, quando menos perceber, ignorar a voz do Espírito Santo terá se tornado um hábito e você se tornará o que as Escrituras chamam de hipócrita. Pois, se isso acontecer com você, a igreja representará apenas um clube onde se encontram amigos; o louvor, um *show* musical; os pastores, palestrantes motivacionais; a Bíblia, um grande livro de autoajuda; e o Espírito Santo, a simples voz de sua consciência.

Não permita que isso aconteça. Você quer se tornar uma cópia de Jesus? Então deixe-se despertar por Deus ainda hoje. Acorde!

# 2

# A VOZ DE DEUS

Aprender a ouvir a voz divina é um passo fundamental para se tornar uma cópia de Jesus, pois ninguém pode conhecer Cristo se não for ensinado por Deus sobre quem ele é, o que deseja, quais são seus valores e princípios, como agiu e age, e tantas outras informações sobre a pessoa e os feitos de Jesus. Por isso, temos de tratar esse tema como prioridade em nossa jornada, a fim de nos conformarmos à imagem de Cristo.

Todos os anos, no período do Carnaval, ajudo a organizar o retiro de jovens da igreja em que sirvo. São cinco dias intensos em uma chácara, sem televisão, Internet ou celular. Todos dormem em beliches e utilizam banheiros coletivos. Propositadamente, os participantes ficam sem acesso ao restante do mundo, com o único objetivo de buscar a Deus. A ideia é fazer os jovens receberem uma *overdose* de ministrações. Pela manhã, fazemos um estudo devocional, em grupo, seguido de um período de louvor e da pregação da Palavra. À tarde, realizamos uma dinâmica de cunho espiritual e, à noite, há outro culto. Nossa meta é que todos aprendam a ouvir a voz de Deus.

Em um desses eventos, convidamos um pastor do Sul para pregar no encerramento das atividades. Além de ministrar com muita sabedoria, ele dirigiu-se a algumas pessoas de forma muito particular durante a pregação. Naquele instante, um jovem chamado Samuel, que participava do retiro, orou em pensamento: "Deus, quero ouvir a tua voz. Dá-me uma experiência contigo". Ao final da pregação, o pastor estimulou os jovens a se consertarem com Deus e a se entregarem totalmente a ele. Muitos se levantaram e, chorando, se ajoelharam em frente ao altar. Samuel estava chateado, pois, ao contrário de seus amigos, não tinha ouvido a voz de Deus durante a preleção. Foi quando o Espírito Santo falou-lhe ao coração e ele entendeu uma grande verdade do evangelho: Deus fala conosco diretamente, sem precisar de intermediários. Como? Permita-me contar uma experiência pessoal.

Aprendi a ouvir a voz de Deus certo domingo, quando estava em casa com a família. Já havíamos almoçado e minha esposa tinha se deitado com a nossa filha, a fim de tirar uma soneca. Pensei em descansar também; contudo, não queria deixar de aproveitar aqueles momentos de silêncio, que se tornam raros depois que temos filhos. Por isso, peguei minha Bíblia e fui para a sala. Comecei a orar e a me relacionar intimamente com o Todo-poderoso. Foi quando aconteceu: Deus falou comigo. Era uma voz dentro de minha mente, parecida com pensamentos, mas que por certo não vinha de mim. Você consegue imaginar isso? Deus, o Criador do Universo, falando pessoalmente com um ser insignificante como eu? Mas foi o que ocorreu. Eu o escutei em minha mente.

"Reconheça o Deus de seu pai."

Eu tremia por dentro. A impressão que tinha é que a sala estava gelada, apesar de estarmos no verão. Parecia que eu não estava em minha casa; era como se eu estivesse em uma reunião particular com o Senhor. O que ele queria dizer com aquela frase? Mesmo sem entender direito, ouvi algo mais.

"Sirva-me de todo o coração e espontaneamente."

Aquela voz me envolvia. Comecei a me lembrar da forma como vinha servindo ao Senhor. Passei a me questionar se não estava vivendo minha espiritualidade por obrigação ou religiosidade. Eu me perguntava: "Tudo o que faço para Deus é espontâneo? Será que existe algo que me força a servi-lo, como o medo da punição, minha família ou meus pastores?". Enquanto me analisava, continuei a ouvir aquela voz clara em minha mente.

"Eu sondo todos os corações e conheço a motivação dos pensamentos."

Creio que Deus ainda fala nos dias de hoje. Eu me senti totalmente rendido — não havia como fugir daquele ser tão grandioso. Comecei a pensar em todas as vezes que, querendo falar algo, não falei, apenas pensei. Lembrei-me de todos os momentos em que evitara agredir certa pessoa, mas nutrira pensamentos rudes e mal-educados contra ela. Recordei ocasiões em que obedecera aos meus pais por fora, mas, em meu interior, fizera o contrário. Diante disso, como poderia fugir desse Deus que tem ouvidos capazes de escutar os pensamentos mais silenciosos? Ainda perplexo, escutei: "Se você me buscar, me encontrará".

Mesmo sentado no sofá de casa, eu saltava de alegria por dentro. Mesmo em silêncio, meu espírito gritava a plenos pulmões, louvando o nome do Senhor. Afinal, o Deus do Universo estava falando comigo — eu, um pobre pecador do interior de São Paulo. Que Deus é este? Essa experiência me marcou profundamente e me levou a profundas reflexões. Hoje, tenho experiências como essa muitas vezes por semana.

Neste ponto, peço que pare e preste muita atenção. Pode ser que você esteja pensando que tive e tenho experiências místicas e transcendentais ao ouvir a voz de Deus, como se eu fosse um ser especial, iluminado, uma espécie de profeta, ou alguém com dons especiais. Se foi o que você imaginou, gostaria de explicar que, de fato, tenho essas experiências *sempre que leio a Bíblia*. É quando abro as Escrituras que Deus começa a falar comigo, por meio da Palavra revelada e divinamente inspirada. Todas as falas que relatei ter ouvido de Deus naquela tarde de domingo, em casa, foram fruto da leitura de um trecho de 1Crônicas:

> O rei Davi se pôs em pé e disse: "[...] E você, meu filho Salomão, reconheça o Deus de seu pai, e sirva-o de todo o coração e espontaneamente, pois o SENHOR sonda todos os corações e conhece a motivação dos pensamentos. Se você o buscar, o encontrará, mas, se você o abandonar, ele o rejeitará para sempre".
>
> 1CRÔNICAS 28.2,9

Sim, a voz de Deus se faz ouvir — pela Bíblia.

Naquele momento, as palavras de Davi a Salomão fizeram sentido para mim. Embora eu respeite todas as normas de hermenêutica e saiba que essa passagem tem de ser entendida como uma fala específica do rei para seu filho, eu a recebi como portadora de uma verdade válida também para a minha vida. Creio que Deus fala de modo sobrenatural. Mas nenhuma experiência transcendental é capaz de nos fazer escutar o Senhor de modo mais inerrante e perfeito do que a leitura bíblica.

No Brasil de hoje, a Bíblia está à disposição de todos. Se você quiser um exemplar e não tiver dinheiro para comprar, existem muitas instituições que lhe darão um de forma gratuita. Há porções das Escrituras em salas de espera e quartos de hotéis, além de muitas traduções e versões disponíveis, de forma gratuita, *on-line*. Essa ampla disponibilidade é ótima; porém, gera um risco muito sério: a banalização da Palavra de Deus. Como existe essa facilidade de acesso, a Bíblia se tornou algo "comum".

Você já viu uma pessoa receber pela primeira vez um exemplar das Escrituras? Um vídeo que circula pela Internet mostra um grupo de jovens chineses recebendo um pacote de bíblias contrabandeado. Quando a líder abre o invólucro, o grupo se atropela para pegar seu exemplar. Muitos daqueles meninos e meninas recebem a Palavra de Deus aos prantos, e a expressão em sua face é de admiração e afeto, de alguém que contempla o objeto mais precioso do mundo. Eles beijam, cheiram e acariciam seu livro. Ao assistir a esse vídeo, lembrei-me de quando abria o armário de achados e perdidos de nossa igreja. O que as pessoas mais esqueciam no templo era justamente a Bíblia; dificilmente alguém esquecia o celular, o *tablet* ou a carteira. É duro reconhecer essa realidade, mas isso mostra o que consideramos mais importante.

Em meu apartamento há 16 exemplares da Bíblia, sem considerar os aplicativos em meu *tablet*, *smartphones* e *notebooks*. Temos ao nosso dispor as Escrituras em dezenas de idiomas, muitos comentários e grande quantidade de traduções.

Lamentavelmente, o amor das pessoas pela Palavra de Deus não cresce na proporção do número de bíblias impressas. A Palavra de Deus ainda o impressiona? Você pode dizer que a ama? E você ouve a voz de Deus por meio da leitura da Bíblia?

## O perigo dos mediadores

O que acontece quando alguém se recusa a ouvir aquilo que o Senhor tem a lhe dizer? A história nos mostra que, nessa circunstância, acabam surgindo mediadores, intermediários na relação entre o Criador e as criaturas.

Quando os hebreus saíram do Egito rumo à Terra Prometida, Deus queria falar diretamente com eles, dar-lhes a experiência de ouvir a poderosa voz do Criador. O som sairia dos céus com destino certo: os ouvidos do povo escolhido.

O dia em que isso deveria acontecer foi marcado. Todas as recomendações foram seguidas. Os israelitas estavam limpos, puros, santificados. Pela manhã, eles saíram de suas tendas em direção ao local predefinido, o monte Sinai. Homens e mulheres, velhos e jovens tremiam, tomados pela incerteza quanto ao que aconteceria. Como estaria a mulher que havia mentido para seu marido naquela semana, o filho adolescente que tinha desobedecido ao pai ou o homem que havia cobiçado a mulher de seu amigo no dia anterior? Creio que todos estavam se perguntando o que ocorreria quando ouvissem a voz de Deus.

Imagine a cena: você, diante de um monte que arde em chamas e sacode como um terremoto, ao som de trombetas, ladeado por trovões e relâmpagos. Deus armou uma apresentação que envolvia os cinco sentidos dos espectadores. Eles nunca mais se esqueceriam daquelas imagens, do cheiro, das sensações e, principalmente, do som da voz divina.

O Todo-poderoso desceu ao topo do monte e chamou o líder. Moisés subiu para se encontrar com ele. Embora o profeta tivesse acabado de chegar, Deus o mandou descer e reforçar a recomendação: "Quanto aos sacerdotes e ao povo, não devem ultrapassar o limite para subir ao SENHOR; senão, o SENHOR os fulminará" (Êx 19.24). Por isso, o texto diz que os israelitas "Ficaram a distância" (Êx 20.18). Então, o povo procurou Moisés para uma reunião de urgência. A reivindicação? "Fala tu mesmo conosco, e ouviremos. Mas que Deus não fale conosco, para que não morramos" (Êx 20.19). O medo foi tão grande que os israelitas se recusaram a ouvir o Senhor falar diretamente com eles. Era necessário pureza, jejum, santidade, coragem... Em resumo, era muito trabalhoso e perigoso tratar diretamente com o Santíssimo. Assim, pediram que Moisés fosse o mediador entre eles e o Todo-poderoso.

Em outras palavras, o povo decidiu ser surdo à voz de Deus.

Apesar de esse acontecimento ter ocorrido milhares de anos atrás, nada mudou. Nós, que hoje formamos o povo de Deus, continuamos a nos recusar a ouvir sua voz. Decidimos nos fazer surdos. Tampamos os ouvidos e pedimos aos nossos líderes que nos peguem pela mão e nos guiem pelo caminho da verdade. Movidos por preguiça, medo ou falta de santidade, recusamo-nos a estar "diante do monte" para ver e ouvir a Deus. Essa atitude carnal tem consequências devastadoras, pois acabamos vivendo uma superficialidade perigosa no relacionamento com o Senhor.

Moisés passou quarenta dias no monte, ouvindo de Deus sua vontade para o povo de Israel. O Criador deu todas as coordenadas: das partes mais importantes, como os Dez Mandamentos, até os detalhes já são coisas pequeninas, como as roupas que os sacerdotes deveriam usar. Enquanto isso, no acampamento, o povo entrou em desespero, pois corria o boato de que Moisés havia morrido. Nervosos, os israelitas cercaram Arão, auxiliar de Moisés, e solicitaram que fossem feitos novos deuses, pois o porta-voz do Senhor estava demorando muito. Diante disso, Arão coletou pertences de ouro e fundiu um bezerro para que o povo adorasse. E assim foi feito, a ponto de declararem: "Eis aí os seus deuses, ó Israel, que tiraram vocês do Egito!" (Êx 32.4).

Por que Israel faria isso? Abandonar o Deus que os livrara da escravidão e que os sustentava na caminhada pelo deserto! Como eles puderam trair alguém que fazia o alimento cair do céu todos os dias? O problema é que aquele povo não conhecia o Senhor. Eles conheciam o Deus de Moisés, o mediador. No momento em que o mediador se ausentou, eles ficaram sem Deus, e a única alternativa que encontraram foi construir um deus novo.

A sua relação com Deus se dá exclusivamente por meio de um mediador? Será que você só escuta a voz do Senhor por intermédio de homens falhos e pecadores? Se é o caso, quem é essa pessoa? Quem medeia sua relação com Deus? Um sacerdote, um artista, "profetas", "homens de Deus", a irmã abençoada do círculo de oração? Entenda que, quando colocamos nossa vida espiritual nas mãos de homens e mulheres que agem como mediadores entre nós e o Todo-poderoso, corremos o risco de tais pessoas se desviarem, desanimarem no caminho ou mesmo mentirem, nos enganarem. Quando isso ocorre, a decepção que esses indivíduos nos causam põe fim à nossa caminhada com Deus. Pois, na verdade, não nos relacionávamos de fato com o Senhor, mas com os mediadores, que acabavam assumindo o papel "divino". Assim, eles se tornavam ídolos e, sem percerber, nos comportávamos como idólatras.

Jamais permita que alguém se torne um "porta-voz de Deus" em sua vida; antes, tome as rédeas desse relacionamento e desenvolva um contato direto com o Senhor.

## Experiências pessoais com Deus

Lembro-me com clareza da primeira vez que uma igreja pagou uma passagem de avião para que eu pregasse em um evento. O voo de São Paulo para Manaus saía bem cedo, às sete horas, e minha esposa e eu estávamos muito ansiosos. Um dia antes, eu tinha solicitado à organizadora do evento os dados da passagem, e ela gentilmente os enviou por *e-mail*, informando que se tratava de um voo direto de São Paulo.

Por ser nossa primeira viagem, me programei para sair de casa com bastante antecedência, receoso que estava de haver engarrafamentos. Chegamos ao aeroporto de Guarulhos e fomos direto para o balcão da companhia aérea, para realizar o *check-in*. A atendente pediu o número do localizador, bem como nossos documentos, e começou a trabalhar em seu computador. Após algum tempo verificando o sistema, ela nos informou: "Infelizmente, os senhores estão no aeroporto errado; seu voo não sai de Guarulhos, mas do aeroporto de Viracopos, em Campinas". Sim, nós estávamos não só no aeroporto errado, mas na cidade errada.

Aflito, abri o *e-mail* e, para minha surpresa, estava escrito: *Saída de São Paulo VCP*. Aquelas três letras, *VCP*, sigla utilizada para especificar o aeroporto de Viracopos, mudaram totalmente o nosso destino naquele dia. Tudo porque confiei nas palavras da líder do evento e acreditei que não era necessário conferir as informações.

Como será quando estivermos frente a frente com Deus e quisermos embarcar em um de seus aviões para o céu? Será que, assim como minha esposa e eu em nossa primeira viagem, você ouvirá o Senhor dizer "Infelizmente, você está no lugar errado"? Se isso ocorrer, pode ser que você tente argumentar, dizendo algo como "Mas me disseram que era aqui", "Eu li em um livro que este era o caminho", "Meu líder disse que este era o procedimento para embarcar". Alguns podem tentar se defender, com justificativas tais quais "Eu achei que todos os aeroportos levavam para o céu". O problema é que qualquer desses argumentos terá sido ouvido da boca de mediadores ou aprendido com supostos intermediários entre você e Deus, e nenhum deles lhe garantirá de fato um lugar no voo da salvação. Se você tivesse ouvido diretamente a voz do Senhor, saberia tudo o que Jesus realmente disse sobre como ser salvo.

Não podemos depositar nosso destino eterno nas mãos de homens, pois eles erram, falham, pecam, corrompem-se, desviam-se, mentem, manipulam. Já Deus, não: ele é a verdade, para quem o sim é sim e o não é não. Tudo o que você aprender de líderes e mestres humanos precisa ser submetido à autoridade máxima da Palavra de Deus. Caso contrário, você pode estar no aeroporto errado, pegando o voo errado e achando que está tudo bem.

É importante deixar claro que não o estou incentivando a sair de sua igreja local ou desrespeitar seus líderes. A Palavra de Deus diz que todas as lideranças são instituídas por Deus (cf. Rm 13.1). Por isso, seja obediente e fiel aos seus líderes espirituais. A grande questão é que a voz de nenhum líder substitui a do Senhor; por isso, afirmo que você precisa ter suas próprias experiências com Deus, ouvir a voz dele de maneira pessoal, diretamente e íntima. Isso fará toda a diferença em sua jornada rumo a tornar-se uma cópia de Jesus.

## Gente que só conhece Deus de ouvir falar

A voz de Deus pode ser ouvida de muitas formas, mas nenhuma substitui o diálogo pessoal e direto. Eu nasci em um contexto cristão. A maior parte da minha infância transcorreu dentro de igrejas, pois sou filho e neto de pastores. Meu pai sempre foi um pregador itinerante e raramente ele passava um fim de semana em casa. Por isso, cresci aprendendo a ser um apreciador de pregações. Na infância, eu ouvia sermões em fitas cassete de meu pai; lembro-me de mensagens que cheguei a ouvir vinte vezes.

Com o tempo, meu amor por ouvir a exposição da Palavra de Deus foi aumentando. Aprendi a falar inglês e, com isso, minhas opções se multiplicaram, uma vez que passei a compreender mensagens de pregadores estrangeiros. Com a facilidade de acesso à Internet, houve um período em que eu ouvia uma pregação por dia, de preletores diferentes. Tudo o que eu sabia sobre as Escrituras havia aprendido pela proclamação do evangelho feita em púlpitos de diversas igrejas. Todos os textos bíblicos que lia me lembravam uma mensagem distinta.

Tudo mudou quando ouvi uma pregação do pastor americano Francis Chan. Ele relatou que, certo dia, estava em casa quando recebeu a visita de dois missionários da seita Testemunhas de Jeová. Ele os convidou para entrar, a fim de conversar com eles. Logo, aqueles dois iniciaram as argumentações e Chan se sentiu impulsionado a contar um pouco das experiências que tivera pouco tempo antes com Deus, como orações que ele havia feito e o Senhor respondera de forma sobrenatural.

Os dois rapazes logo ficaram incomodados com as histórias de Chan e decidiram ir embora. Como ele ainda não havia terminado, começou a andar na rua com eles, a fim de contar mais algumas experiências. Até que um deles o interrompeu e perguntou: "O que você é? Um desses pentecostais?". Ao que Chan respondeu: "Não importa o que eu sou. Importa que eu simplesmente leio a Palavra de Deus e faço o que ela manda". Foi quando um dos testemunhas de Jeová disse: "Esse é o seu problema! Você não pode entender esse livro sozinho; um de nossos líderes precisa lhe explicar". Ao que, prontamente, Chan retrucou: "Não! Na verdade, esse é o grande problema de vocês. Pois vocês não acreditam que o Espírito Santo pode guiá-los a toda a verdade contida nesse livro". E os provocou: "Como vocês podem ter certeza de que seus líderes não estão mentindo? Eu os desafio a ir para casa, abrir esse livro e tirar suas próprias conclusões".

Ao ouvir essa história, senti-me extremamente confrontado, pois eu não era diferente daqueles dois seguidores das Testemunhas de Jeová. Tudo o que eu conhecia sobre Deus, a Igreja, o Espírito Santo e a Palavra havia aprendido de meus líderes. Como eu poderia saber que eles não estavam mentindo para mim?

Resumindo, o que Francis Chan queria dizer é: "Pare de ouvir falar de Deus somente por pregações de terceiros, leia a Bíblia e chegue às próprias conclusões". Aquilo me despertou de tal modo que me propus um compromisso pessoal: leria a Bíblia toda, tirando minhas conclusões. Assim, passei a me sentar diariamente em um canto silencioso para ler as

Escrituras. Claro que não estaria sozinho: eu teria comigo o Autor do livro sagrado, alguém disposto a me explicar cada frase ali registrada.

Minha vida mudou. Cresci mais em um ano lendo a Bíblia do que em cinco anos ouvindo pregações. Deus passou a falar diretamente comigo, e não mais por mediadores. Como é bom ouvir a voz dele! Hoje, continuo a amar pregações, mas não corro o risco de ser enganado, pois tudo que ouço comparo com o que o Espírito Santo me diz dentro do meu quarto.

Meu desafio para você é este: releia toda a Bíblia e tire suas próprias conclusões, confiando que o Espírito Santo o guiará a toda a verdade (cf. Jo 16.13). Em seguida, compare com o que estudiosos sérios da Palavra de Deus escreveram e corrija erros de percurso. Leia bons livros, comentários bíblicos, os escritos de patriarcas da Igreja e outras fontes de conhecimento escriturístico, comparando-os com suas conclusões. Assim, conjugando a sabedoria de outras pessoas que também ouviram a voz do Senhor por meio da Bíblia com o que você ouviu, terá uma vida espiritual muito mais rica, cheia de intimidade com o Todo-poderoso e com um conhecimento correto e pessoal acerca do evangelho.

## Ser, muito mais que ler

Ler a Bíblia nem sempre foi uma prática dos cristãos. Na realidade, esse hábito foi resultado de uma grande reforma promovida em decorrência de discordâncias em relação ao catolicismo, liderada por Martinho Lutero: a Reforma Protestante. Até o século 16, na Europa, a Bíblia era copiada apenas em latim, língua que somente os mais eruditos dominavam. Isso fazia que as pessoas comuns só recebessem desses homens os ensinamentos sobre a fé, o que as tornava totalmente dependentes de um pequeno grupo de indivíduos — em geral, padres católicos.

Em 1521, inconformado com alguns preceitos propagados pelos líderes da igreja na época — como a venda de indulgências ou o ensino da salvação obtida mediante a prática de boas obras —, Lutero decidiu traduzir a Bíblia para o alemão, o que daria ao povo o poder de tirar suas próprias conclusões sobre o conteúdo da Palavra de Deus. Permitir que qualquer pessoa lesse as Escrituras foi um gigantesco benefício gerado pela Reforma Protestante. Mas atenção: *apenas ler a Palavra de Deus não muda nossa vida em nada*. Jesus afirma isso no Sermão do Monte.

> Portanto, quem ouve estas minhas palavras e as pratica é como um homem prudente que construiu a sua casa sobre a rocha. Caiu a chuva, transbordaram os rios, sopraram os ventos e deram contra aquela casa, e ela não caiu, porque tinha seus alicerces na rocha. Mas quem ouve estas minhas palavras e não as pratica é como um insensato que construiu a sua casa sobre a areia. Caiu a chuva, transbordaram os rios, sopraram os ventos e deram contra aquela casa, e ela caiu. E foi grande a sua queda.
>
> Mateus 7.24-27

Jesus cria um exemplo valendo-se de imagens da construção civil para dizer àquela multidão que o fato de ouvir as palavras ditas por ele não lhes mudaria a vida em nada, mas o ato de colocá-las em prática revolucionaria sua existência para sempre.

As palavras da Bíblia só se transformam em poder de Deus quando seus ensinamentos são praticados. Por muito tempo, busquei conhecer a Bíblia, mas isso não me ajudou de modo nenhum. Minha vida só foi transformada quando decidi ser aquilo que ela nos manda ser.

João fez a seguinte afirmação: "Aquele que é a Palavra tornou-se carne e viveu entre nós" (Jo 1.14). Jesus veio para, entre outras coisas, mostrar exatamente como é um homem que segue 100% a Palavra de Deus. Jesus é a Palavra encarnada e, se você e eu quisermos ser uma cópia dele, não podemos nos contentar em conhecer a Bíblia: temos de ambicionar ser aquilo que a Palavra de Deus nos diz que devemos ser.

Seguir Jesus é andar pelas páginas da Bíblia na intenção de adquirir o conhecimento que ela carrega e, depois, saltar para fora dessas páginas, em forma de atitude. Empenhe-se para que a Palavra de Deus seja carne em sua vida e, assim, estará no caminho certo para se tornar uma cópia de Jesus.

# 3

# CONFIAR E OBEDECER

É natural que surjam muitos conflitos caso você decida buscar a voz de Deus pela leitura da Bíblia e, assim, comece a desenvolver um relacionamento pessoal com Cristo. A pessoa que deseja se tornar uma cópia de Jesus precisa estar precavida para saber reagir quando as dificuldades aparecerem. Ser alguém como Cristo requer coragem equivalente à que é necessária para sair de um barco e andar sobre as águas do mar. As Escrituras nos contam a história de alguém que passou por uma situação como essa: Pedro.

A tradição judaica do primeiro século estabelecia que o filho deveria seguir a profissão do pai. Jesus, por exemplo, aprendeu o ofício de carpinteiro, ocupação de José. Com Pedro não foi diferente: herdou de seu pai a profissão de pescador. Foi em meio a um dia de trabalho que Jesus fez daquele pescador de peixes um pescador de homens (cf. Mt 4.19). Depois de algum tempo caminhando ao lado de Cristo, testemunhando os mais variados tipos de milagres, certo dia Pedro estava dentro de um barco quando uma tempestade assustadora ameaçou afundar a embarcação.

> Logo em seguida, Jesus insistiu com os discípulos para que entrassem no barco e fossem adiante dele para o outro lado, enquanto ele despedia a multidão. Tendo despedido a multidão, subiu sozinho a um monte para orar. Ao anoitecer, ele estava ali sozinho, mas o barco já estava a considerável distância da terra, fustigado pelas ondas, porque o vento soprava contra ele. Alta madrugada, Jesus dirigiu-se a eles, andando sobre o mar. Quando o viram andando sobre o mar, ficaram aterrorizados e disseram: "É um fantasma!" E gritaram de medo. Mas Jesus imediatamente lhes disse: "Coragem! Sou eu. Não tenham medo!" "Senhor", disse Pedro, "se és tu, manda-me ir ao teu encontro por sobre as águas". "Venha", respondeu ele. Então Pedro saiu do barco, andou sobre as águas e foi na direção de Jesus. Mas, quando reparou no vento, ficou com medo e, começando a afundar, gritou: "Senhor, salva-me!" Imediatamente Jesus estendeu a mão e o segurou. E disse: "Homem de pequena fé, por que você duvidou?" Quando entraram no barco, o vento cessou. Então os que estavam no barco o adoraram, dizendo: "Verdadeiramente tu és o Filho de Deus".
>
> Mateus 14.22-32

Para compreender a atitude de Pedro nesse episódio, vamos fazer um exercício de imaginação. Pense nele bem pequeno, ainda menino, acompanhando o pai até a beira do mar. Como todo aquele que zela pela segurança de seu filho, Jonas, seu pai, naturalmente deve ter-lhe instruído: "Filho, fique sempre longe da borda do barco, pois, *se cair na água, você afundará*". O menino olha para a água e memoriza esta primeira lição: na água você afunda. A lição deve ter sido assimilada com rapidez, pois Pedro certamente via com frequência pessoas que caíam ao mar. Não deve ser difícil supor que, ao longo dos anos, ele mesmo tenha caído muitas vezes na água. Sempre que Pedro presenciava alguém mergulhar, saltar da embarcação ou escorregar pela beirada — ou quando ele mesmo passava por isso —, a lição se solidificava em sua compreensão acerca de como o mundo funciona.

Anos depois, esse mesmo Pedro estava dentro de um barco, no mar em que pescara por anos, diante de um homem que conhecera havia alguns meses e que o convidava a sair do barco e andar sobre as águas. Que proposta louca! Não sei você, mas, para mim, as palavras de Jesus não fariam absolutamente nenhum sentido, à luz de tudo o que Pedro já vivenciara e da lógica acerca do que aconteceria caso ele pulasse sobre a amurada do barco.

A situação de Pedro nesse episódio pode nos dar uma visão bem clara sobre o que enfrentamos ao aceitar o desafio de explorar a Palavra de Deus a fim de conhecer Jesus e nos tornar uma cópia dele. Ali, naquele barco, o pescador se via diante de um enorme dilema: de um lado estava Jesus, dizendo que ele poderia pisar na água, pois não afundaria; do outro, havia as experiências passadas, que não deixavam dúvida alguma de que, sim, ele afundaria. No que acreditar, no Mestre ou no passado?

Esse é o desafio que se apresenta a todo aquele que decide se tornar uma cópia de Jesus mediante o conhecimento de sua Palavra. Se você tomou essa decisão, vai se pegar constantemente à beira do barco da vida. De um lado, ouvirá Jesus, dizendo: “Ele o agrediu? Dê a outra face”, ou “Ele o ofendeu? Perdoe, dê mais uma chance”. Do outro lado, estarão os ensinamentos de toda uma vida, dizendo: "Ele o agrediu? Bata de volta, vingue-se", ou "Ele o ofendeu? Não baixe a guarda, pois ele fará de novo. Lembra-se daquela última vez?". A grande questão é: a quem você dará ouvidos?

Para responder com convicção a essa pergunta, será preciso compreender exatamente quem é o homem que está do lado de fora do barco convidando-o a sair, pois existe uma diferença monumental entre quem ele realmente é e quem a sociedade e a cultura secularistas em que vivemos dizem que ele é. Qualquer brasileiro ouve falar muito sobre Jesus. O nome dele é usado em expressões linguísticas, em nomes de instituições ou até mesmo como marca de refrigerante. Vemos imagens dele em muitos lugares por onde passamos, da estátua do Cristo Redentor aos crucifixos espalhados em repartições públicas. Essa presença massiva do nome e de referências icônicas de Jesus acaba esvaziando sua pessoa aos olhos de muitos, além de banalizar sua importância. Hoje, a desvalorização do nome Jesus se dá pelo fato de que se tornou "barato" ter Jesus. Os esforços necessários são mínimos; basta ir uma vez por semana a uma igreja e assistir a um culto de uma hora e meia para ser considerado alguém que o tem dentro de si. Nós nos esquecemos de que existe um preço para segui-lo (cf. Lc 14.33).

Então, de repente, depois de conviver por décadas com esse Jesus "barato", sem que ele tenha muito peso ou influência em sua vida, você se vê diante dele no momento em que é convidado a andar sobre as águas e se tornar como ele é. Mas quem está ali não é esse Cristo "comum", "banalizado", que a sociedade conhece; é Deus em forma de homem, Criador de todas as coisas, Salvador, Restaurador, Maravilhoso, Eterno e Todo-poderoso! Esse é o verdadeiro Jesus. É essa pessoa indescritível que o chama para andar sobre as águas.

O profeta Isaías registrou que esse Jesus tem o céu por trono e a terra por estrado de seus pés (cf. Is 66.1), além de possuir a capacidade de conhecer cada estrela pelo nome (cf. Is 40.26). Para se ter uma ideia de quão extraordinária é a mente do Senhor, os astrônomos afirmam que, até onde eles podem observar, é possível que existam 70 sextilhões de estrelas (um 7 seguido de 22 zeros). É o dono dessa mente — capaz de contar cada uma dessas estrelas e lembrar do nome de cada uma — quem o está convidando para viver segundo as possibilidades do reino dele. Um reino onde não se afunda na água, não se queima na fornalha, não se é devorado por leões famintos, não se morre engolido por um grande peixe. Apenas uma mente de capacidade e majestade absolutas e exorbitantes seria capaz de justificar afirmações como: "'... os meus pensamentos não são os pensamentos de vocês, nem os seus caminhos são os meus caminhos', declara o SENHOR. 'Assim como os céus são mais altos do que a terra, também os meus caminhos são mais altos do que os seus caminhos, e os meus pensamentos, mais altos do que os seus pensamentos'". (Is 55.8-9).

Tendo ficado claro para você quem é esse Jesus, responda à pergunta: a quem você ouvirá? Ao seu passado, aos seus conceitos preestabelecidos, ao que sua mente limitada diz que é certo? Ou você ouvirá a voz de Cristo, que é Deus criador e dono da mente mais extraordinária que já existiu?

Se não responder corretamente a essa pergunta, você nunca conseguirá se tornar uma cópia de Jesus.

## Simplesmente faça

Quando Jesus deu aos discípulos a ordem de atravessar para o outro lado do mar, eles entraram imediatamente no barco e começaram a viagem. Porém, no meio da jornada, foram surpreendidos por uma tempestade. Os ventos fortes provocavam altas ondas, que os lançavam de um lado para o outro. O mau tempo não respeitava o destino deles, nem mesmo o fato de estarem obedecendo a Jesus. Naquele momento, eles eram reféns do vento e das ondas, e o barco ia para onde a tempestade mandasse — consequentemente, os discípulos também.

O motivo de muitas pessoas não saírem do barco reside no fato de que este é, aparentemente, um lugar seguro e confortável. Porém, estar dentro do barco significa não ter controle sobre a viagem. Quando recusamos o convite de Jesus para andar sobre as águas, damos as costas ao chamado para a liberdade, pois o barco é o lugar daqueles que são reféns dos estímulos externos (como as leis da natureza e a opinião alheia).

Ouvi certa vez uma pregação do pastor Ariovaldo Ramos em que ele contou sobre uma conversa que tivera com um jovem sobre a fé cristã. Na conversa, o rapaz disse não aceitar o cristianismo, pois gostava de ser livre e via a religião como algo que escraviza as pessoas. Ao ouvir isso, o pastor lhe fez algumas perguntas. Deu-se o seguinte diálogo:

— Qual é seu nome?

— Gustavo.

— Por que você escolheu esse nome?

— Eu não escolhi; foi uma decisão de meus pais.

— Você deve ter, pelo menos, escolhido seus pais.

— Claro que não.

— Então acredito que você deve ter escolhido o lugar onde viria a nascer?

— Também não.

— Ok! Mas, no mínimo, sua língua materna você escolheu?

— Não!

— Então você deve ter escolhido a forma como seus pais o criariam e as experiências que teve até os 3 anos?

— Também não escolhi.

— Certo. De que liberdade você estava falando mesmo?

Com isso, o pastor Ariovaldo encerrou o assunto. A verdade por trás desse episódio é que não somos livres. Não escolhemos nossos pais, a cultura em que nascemos, nossa língua e muito menos a forma como fomos educados. Somos reféns dos acontecimentos (traumas, feridas, medos, abusos ou vícios...), que funcionam como ondas e ventos, arrastando o barco da vida para lugares indesejáveis sem nos consultar, sem perguntar se é o que queremos. Enquanto recusarmos o convite de Jesus para andar sobre as águas, seremos escravos da tempestade. Enquanto não nos tornarmos cópias de Cristo, nunca desfrutaremos da verdadeira liberdade.

Uma dúvida que surge naturalmente para quem se vê preso em barcos da vida é: como sair, como se libertar? Uma história ilustra bem a resposta a essa pergunta. Em 1988, Dan Wieden, da agência de publicidade Wieden+Kennedy, apresentou ao mundo o *slogan Just do it* ("Simplesmente faça"), para alavancar as vendas da empresa multimilionária Nike. O publicitário relata que criou esse *slogan* com base em algo que ouviu de um homem condenado à morte nos Estados Unidos. Minutos antes de morrer, Gary Gilmore disse ao pelotão de fuzilamento:

"*Let's do it*" ("Vamos fazer"). Impressionado com a frieza do criminoso, Wieden adaptou a frase, e surgiu *Just do it*. O que a Nike disse ao mundo inteiro com essa campanha é que devemos parar de complicar tudo. Em outras palavras, "chega de enrolação, simplesmente faça".

O que tem essa história a ver com o assunto de que estamos tratando? O fato é que, para todos os que desejam se libertar das algemas que os escravizam, o desafio é ouvir as palavras de Jesus apresentadas na Bíblia e ter uma atitude ao estilo *Just do it*. Se você quer sair hoje do barco do acomodamento e do caminho mais fácil, ao ouvir o chamado de Jesus para tornar-se uma cópia dele, aja como Pedro e *simplesmente faça*! Levante-se e pule desse barco; sem pensar, sem enrolar, sem complicar. Apenas faça!

Ouse tomar uma atitude extraordinária: pegue sua Bíblia, sente-se em um canto silencioso e leia as palavras de Jesus e seus apóstolos. Depois feche-a, levante-se e vá fazer o que ela manda. Você quer saber quando sairá finalmente desse barco de ideias passadas, traumas e conceitos preestabelecidos? Quando decidir fazer o que a Palavra de Deus ordena.

Você leu nas Escrituras que deve perdoar aqueles que lhe fizeram mal? Então levante-se, vá até essas pessoas e diga-lhes que as perdoa. *Just do it!* Você leu que não devia acumular tesouros na terra? Faça um compromisso consigo mesmo de ter o necessário para viver e invista no que terá ecos na eternidade. *Just do it!* Jesus disse: ame, empreste, doe, adore, venda, deixe, arranque, corte, plante, morra, negue-se e carregue a sua cruz? *Just do it!* Simplesmente faça!

E, quando perguntarem por que você está fazendo isso, responda: simplesmente porque Jesus mandou. É cumprindo a vontade do Senhor que você se tornará cada vez mais parecido com ele.

## Praticantes da Palavra

Imagine que você chamasse sua filha e lhe ordenasse: "Seu quarto está bagunçado, os brinquedos estão todos espalhados. Vá arrumar aquilo tudo". Passadas algumas horas, ela voltaria até você e diria: "Pai, decorei o que senhor falou; olha só: 'Vá arrumar aquilo tudo'". Diante disso, você lhe responderia: "Parabéns, filha, muito legal. Mas... e aí? Arrumou? Ao que ela diria: "Ainda não".

No dia seguinte, a pequena, ao voltar da escola, relataria: "Pai, na hora do recreio, eu e meus amigos fizemos uma discussão em grupo, tipo uma célula. O tema foi 'formas de arrumar o quarto'. Eu expliquei para eles a importância de deixar o quarto sempre organizado". E você: "Que legal, filha, isso é muito bom. Mas você já arrumou seu quarto?". Ela: "Ainda não". Ao que você, entristecido, chateado e já irritado, daria o ultimato: "Então vá arrumar seu quarto!". Algumas horas depois, ela voltaria e diria, cantarolando: "Pai, você não vai acreditar, compus uma música com o que o senhor disse; olha só: 'Vá arrumar seu quarto! Vá arrumar aquilo tudo! Vá arrumar seu quarto!' Legal, né?". Você, admirado, diria: "Nossa, filha, que música linda! Mas deixa o papai perguntar uma coisa, só por curiosidade: você já arrumou seu quarto?". Resposta em tom de voz baixo: "Ainda não...".

Temos acesso a dezenas de versões da Bíblia, centenas de livros e milhares de conteúdos na Internet sobre Jesus. Decoramos trechos das Escrituras, cantamos louvores, organizamos grupos de estudo e comunhão, debatemos teologia em congressos e seminários. Tudo isso é muito bom. Mas sabe o que realmente alegra o coração do Pai? Quando arrumamos nosso quarto, isto é, quando fazemos conforme ele orienta.

Tiago escreveu: "Sejam praticantes da palavra, e não apenas ouvintes, enganando-se a si mesmos" (Tg 1.22). Isso significa que cantar, decorar, discutir, debater, analisar, ler em grego e hebraico e palestrar em congressos e conferências, mas não praticar a Palavra, é enganar a si mesmo. É como uma criança que põe um remédio na boca, espera o pai sair do quarto e, então, cospe o medicamento. Sem aplicação prática, a Bíblia não tem efeito nenhum.

A Palavra de Deus é um remédio chamado verdade, que combate o vírus da mentira. A arma de Satanás contra o homem é o engano, o qual, muitas vezes, virá na forma de sofismas, ou seja, argumentos e pretensões que têm o objetivo de levar você ao erro. "As armas com as quais lutamos não são humanas; ao contrário, são poderosas em Deus para destruir fortalezas. Destruímos argumentos e toda pretensão que se levanta contra o conhecimento de Deus, e levamos cativo todo pensamento, para torná-lo obediente a Cristo" (2Co 10.4-5). Como combater uma mentira? Com a verdade.

Diante de uma mentira, não adianta ficar passivo e apenas se defender; é necessário atacar. Jesus usou uma estratégia certeira quando Satanás tentou plantar sofismas em seu coração. O tentador se aproximou dele e disse: "Se és o Filho de Deus, manda que estas pedras se transformem em pães" (Mt 4.3). Depois, "Se és o Filho de Deus, joga-te daqui para baixo" (v. 6). E, por fim, "Tudo isto te darei, se te prostrares e me adorares" (v. 9). Às três propostas, o Senhor respondeu: "Está escrito". Quando o tentador vem com propostas amargas, cobertas de doces mentiras, ele não se impressiona ao ouvir um "não" como resposta, mas treme ao ser confrontado com "Está escrito". Pois o que está escrito na Palavra de Deus é a arma que anula os sofismas: a verdade.

É por isso que Jesus diz: "E conhecerão a verdade, e a verdade os libertará" (Jo 8.32). Mas, diferente do que nos ensinam, a verdade não é um conceito a ser aprendido, tampouco uma ideia a ser entendida; *a verdade é uma pessoa que deve ser copiada.*

E é essa pessoa que se põe diante de nós, hoje, e nos convida a sair do barco dos antigos conceitos e traumas, a fim de nos libertar de nós mesmos e de nosso passado, rumo a um futuro de plena identificação com quem ele é.

# 4

# VOCÊ JÁ VIU JESUS?

Você já viu Jesus? Como é possível se tornar uma cópia de alguém nunca visto? Como copiar, amar e desejar passar a eternidade na presença de alguém nessas condições? Você certamente já ouviu falar bastante sobre Cristo, seus feitos e atributos, mas... você já o viu?

Quando lemos a história do cego Bartimeu, fica claro que ele já havia escutado sobre Jesus e detinha informações importantes sobre o Mestre — de que outra maneira saberia que se tratava do "filho de Davi"? Talvez tenha presenciado relatos sobre sua pregação revolucionária, a multiplicação de pães e peixes, sua coragem diante dos mestres da lei. Mas acredito que, dada a situação de Bartimeu, o que realmente deve ter chamado sua atenção foram os relatos das curas milagrosas.

"Você ficou sabendo que ele fez um paralítico de nascença andar?", alguns podem ter-lhe dito. Acredito que o coração daquele deficiente visual se encheu de esperança ao ouvir histórias sobre Jesus curando mudos, leprosos e cegos. Sim, certamente, o filho de Timeu conhecia Jesus de ouvir falar.

Porém, em um contexto como o dele, o grande problema de não enxergar é que seria preciso confiar no relato de terceiros a fim de tirar as próprias conclusões, o que pode gerar severas distorções da realidade.

Deixe-me explicar, por meio de um exemplo. Se eu estivesse sentado na poltrona de um avião e descrevesse o que estava vendo, poderia ser algo assim: "Vejo, na fileira à frente da minha, uma mulher com seu filho de cerca de 2 anos dormindo no colo. O menino tem cabelos negros e lisos. Ele está vestindo uma camiseta branca de manga comprida e, na boca, tem uma chupeta azul e branca. O garoto parece tranquilo, apesar de se assustar, de vez em quando, com os balanços mais bruscos da aeronave". Ao ler esse relato, uma cena foi se desenhando em sua mente, algo que, com toda a certeza, é diferente da cena que todos os outros leitores visualizaram em pensamento. Se essa descrição fosse ouvida por dez mil pessoas, cada uma imaginaria um menino diferente, com um tipo específico de chupeta na boca, no colo de uma mulher de aparência única. E nenhuma das dez mil imagens seria igual à que eu teria visto na realidade.

Qual Jesus descreveram para você? Que imagem você tem dele? Observando e ouvindo pessoas que frequentam igrejas evangélicas, é possível perceber as imagens que elas têm de Cristo. Algumas imaginam o Jesus-curandeiro e o buscam a fim de obter a tão desejada cura física. Outras têm a figura do Jesus-bancário, aquele que pode resolver todos os seus problemas financeiros. Há milhares de outros "Jesus", como o Jesus-advogado, o Jesus-cupido e o Jesus-psicólogo, só para citar alguns.

Será que o Cristo de seu imaginário é, de fato, o da vida real? Só existe uma maneira de não criar um falso Jesus em sua mente: você precisa vê-lo. Por exemplo, a experiência de vê-lo mudou Paulo de Tarso, que, de fervoroso assassino de cristãos, se tornou um dos maiores servos de Cristo que já existiram. Tudo muda depois que você vê Jesus.

Diante disso, a dúvida que surge é: "Como posso saber se já vi Jesus?". João escreveu a melhor resposta para essa questão: "Todo aquele que nele permanece não está no pecado. Todo aquele que está no pecado não o viu nem o conheceu" (1Jo 3.6). Logo, é a relação de uma pessoa com o pecado que determina se ela viu Jesus. Se você ainda estiver no pecado, é porque não teve os olhos de seu coração abertos para contemplar a beleza de Cristo e de seu amor sacrificial, que o levou a pagar com a própria vida o preço dos nossos pecados, a fim de que pudéssemos ficar bem com Deus.

Para entender esse texto de João, imagine uma balança daquelas usadas antigamente nos armazéns para pesar alimentos. Tais instrumentos tinham dois pratos em que se colocavam, de um lado, a mercadoria e, do outro, pesos de metal. Assim era possível descobrir quanto pesava determinado produto. Suponha que Jesus esteja sentado em um dos pratos dessa balança e, do outro lado, esteja um pecado. Pergunto: qual pecado pesa mais que Jesus?

Com essa imagem em mente, vamos pensar em situações cotidianas. Será que aquela pessoa que você quer namorar, mas que o leva a se afastar de Deus, pesa mais que Jesus? Ou será que sua vontade de olhar imagens de pessoas nuas na Internet tem mais peso que o Senhor? Ou, ainda, seu desejo por riquezas, ele tem mais peso que o Deus encarnado? E será que sua personalidade explosiva, responsável por fazê-lo agredir as pessoas que atrapalham seu caminho, é mais valiosa que Cristo?

Se qualquer coisa está vencendo Jesus na balança da sua vida, pode ser que você nunca tenha visto Jesus. Pois, no dia em que os olhos de seu coração forem abertos para vê-lo, você entenderá que nada pesa mais do que ele. Paulo descreve Jesus da seguinte maneira:

> Ele é a imagem do Deus invisível, o primogênito sobre toda a criação, pois nele foram criadas todas as coisas nos céus e na terra, as visíveis e as invisíveis, sejam tronos ou soberanias, poderes ou autoridades; todas as coisas foram criadas por ele e para ele. Ele é antes de todas as coisas, e nele tudo subsiste. Ele é a cabeça do corpo, que é a igreja; é o princípio e o primogênito dentre os mortos, para que em tudo tenha a supremacia. Pois foi do agrado de Deus que nele habitasse toda a plenitude, e por meio dele reconciliasse consigo todas as coisas, tanto as que estão na terra quanto as que estão nos céus, estabelecendo a paz pelo seu sangue derramado na cruz.
>
> Colossenses 1.15-20

É impossível algo valer mais que Cristo, pois tudo o que existe foi criado por ele. É como o homem descrito por Jesus na parábola do tesouro de grande valor: "O Reino dos céus é como um tesouro escondido num campo. Certo homem, tendo-o encontrado, escondeu-o de novo e, então, cheio de alegria, foi, vendeu tudo o que tinha e comprou aquele campo" (Mt 13.44). Esse tesouro é Cristo. Ele vale infinitamente mais do que a soma de tudo o que você já teve, tem ou terá.

Quer saber se você já viu Jesus? Olhe para todos os seus bens e relacionamentos e pergunte-se: Cristo vale mais do que tudo o que tenho, mais do que todas as pessoas que amo? Se a resposta for positiva, significa que você encontrou esse tesouro. Mas, caso haja algo ou alguém que ainda valha mais do que Jesus, é preciso repensar sua relação com ele e se perguntar: "Será que eu já o vi? Será que o conheço?".

Não são poucas as pessoas que trocam Jesus pelo amor por coisas e pessoas ou por si mesmo. E fazem isso porque não o viram verdadeiramente nem o conheceram. É interessante que, em termos bíblicos, ver Cristo não significa pôr os olhos sobre a pessoa dele. Marcos nos relata uma história significativa sobre isso.

> Quando Jesus ia saindo, um homem correu em sua direção e se pôs de joelhos diante dele e lhe perguntou: "Bom mestre, que farei para herdar a vida eterna?" Respondeu-lhe Jesus: "Por que você me chama bom? Ninguém é bom, a não ser um, que é Deus. Você conhece os mandamentos: 'Não matarás, não adulterarás, não furtarás, não darás falso testemunho, não enganarás ninguém, honra teu pai e tua mãe'". E ele declarou: "Mestre, a tudo isso tenho obedecido desde a minha adolescência". Jesus olhou para ele e o amou. "Falta-lhe uma coisa", disse ele. "Vá, venda tudo o que você possui e dê o dinheiro aos pobres, e você terá um tesouro no céu. Depois, venha e siga-me." Diante disso ele ficou abatido e afastou-se triste, porque tinha muitas riquezas.
>
> Marcos 10.17-22

É interessante comparar esse jovem rico com o cego Bartimeu. Aquele rapaz possuía muitas propriedades e, ao que tudo indica, pertencia a uma família poderosa. Já o outro era um pedinte de esmolas, que vivia à porta da cidade implorando ajuda aos que passavam por ali. O rico certamente frequentava o templo e as sinagogas, estudava as leis judaicas e se esforçava desde novo para cumprir com rigor cada vírgula das

Escrituras. É provável que seus pais e mestres o tenham ensinado a viver uma vida de retidão absoluta diante dos homens. O mendigo de Jericó, por sua vez, era considerado pela sociedade um amaldiçoado, por ter nascido com a deficiência; não lhe era permitido nem mesmo entrar no templo, uma vez que o consideravam alguém imundo.

Dois homens extremamente diferentes, com histórias opostas e estilo de vida antagônicos. Em uma leitura rápida, é possível que não se perceba que o jovem rico era cego. Não fisicamente; os olhos do coração é que não enxergavam. Ele conseguia ver cores, paisagens, dinheiro, bens, roupas caras, o livro das leis... mas não conseguia contemplar o que existia de mais belo: Jesus. O Senhor estava bem na sua frente. O moço ajoelhou-se aos seus pés e ouviu sua voz, porém não viu Deus. Ele viu um mestre, um rabino, um professor, um filósofo, mas não conseguiu enxergar que estava diante do Criador do Universo, aquele que o formara no ventre materno, o ser que sabia o número de fios de cabelo presos à sua cabeça e até mesmo a quantidade de árvores existentes em suas propriedades. Aquele jovem estava diante do autor das leis que ele tanto se esforçava para cumprir desde pequeno. Quem estava a um palmo de distância de seus olhos era o Eu Sou, aquele que ditou as leis para Moisés. Ainda assim, o rapaz não o enxergou. Os olhos de seu coração não perceberam que diante dele estava o maior tesouro que já existiu. O jovem rico fez o que milhões de pessoas fizeram e ainda fazem: trocou Jesus por coisas, por pessoas e por si mesmo. Tudo isso porque não o viu nem o conheceu.

De outro lado, está Bartimeu, que ouvira muito sobre Cristo. É natural que alimentasse a expectativa de um dia encontrar-se com o Senhor. Então, finalmente, esse dia chegou. O barulho de uma grande multidão revelava para o cego que algo diferente estava acontecendo na cidade. Não era comum haver tanto alvoroço nas ruas de Jericó. No meio de tanta gente que falava ao mesmo tempo, ele conseguiu identificar um nome, que era pronunciado repetidamente: "Jesus! Jesus! Jesus! Jesus!".

Era ele.

O famoso homem que impactava todas as cidades por onde seguia finalmente chegara a Jericó. Mas o que fazer? A condição de Bartimeu não lhe permitia ver Jesus. Não adiantava esfregar os olhos, colocar óculos, pingar colírio; nada que fizesse resolveria a cegueira. Como seguir um homem cuja direção em que caminha não pode ser vista? Como copiar alguém cujas atitudes não se pode enxergar? Como admirar alguém cuja beleza não é possível contemplar?

Essa é exatamente a condição do ser humano. Não podemos fazer nada para ver Jesus. Não temos poder nenhum para sanar nossa deficiência. Nossas obras são mortas. Somos capazes de obedecer às regras, como aquele jovem rico, ler a Bíblia todos os dias, ir ao culto todas as semanas, entregar o dízimo, ofertar e até mesmo trabalhar para Deus e, mesmo assim, não enxergar Jesus. Nessa condição só resta nos humilharmos e clamar: "Jesus, filho de Davi, tem misericórdia de nós! Jesus, filho de Davi, tem misericórdia de nós!".

Foi exatamente isso que Bartimeu fez. Diante de sua impotência, começou a clamar ao único que tinha poder para mudar sua história. Ignorando a pressão da multidão, gritou a plenos pulmões, tão alto que começaram a repreendê-lo, pois achavam que estava incomodando Jesus. Mas o que aquelas pessoas ainda não haviam aprendido é que o Senhor se enche de compaixão diante de um clamor sincero; ele é impulsionado pelo amor. Aqueles gritos soavam como um cântico aos ouvidos do Mestre. Bartimeu entendeu sua posição de total dependência de Deus e demonstrou isso.

Diferente do jovem orgulhoso, que acreditava na suposta segurança proporcionada por suas muitas propriedades e seu conhecimento da lei, o mendigo se pôs em uma posição agradável a Deus, uma atitude de plena humildade. Ocorreu como dizem as Escrituras: "O orgulho do homem o humilha, mas o de espírito humilde obtém honra" (Pv 29.23). De fato, foi o que ocorreu: Jesus mandou chamar o cego.

Algumas pessoas foram até Bartimeu e o conduziram ao Senhor. O que terá passado pela cabeça daquele homem durante a caminhada? Em segundos, ele estaria diante de Jesus. De repente, as pessoas que o guiavam pararam. Foi quando uma voz serena indagou: "O que você quer que eu lhe faça?" (Mc 10.51). É bastante comum ver pessoas que nunca contemplaram Jesus, as quais são identificadas pela resposta que dão a essa pergunta. Ao ouvirem de Deus "O que você quer que eu lhe faça?", muitos dos frequentadores de igrejas respondem: "Quero minha casa própria", "Quero um carro do ano" ou, até mesmo, "Quero prosperar financeiramente". São milhares de pessoas fazendo campanhas de não sei quantos dias ou semanas para conquistar bens materiais, sucesso na vida amorosa e felicidade. Porém, são poucas as que fazem campanhas porque querem ver Jesus, ter um relacionamento pessoal e íntimo com o Deus do Universo. Aqueles indivíduos são como filhos que anseiam pela chegada do pai no fim do dia, não para vê-lo ou conversar com ele, mas para lhe pedirem dinheiro. E, com esse dinheiro, se afastarão cada vez mais de sua presença.

Deus disse, por meio do profeta Jeremias: "Vocês me procurarão e me acharão quando me procurarem de todo o coração" (Jr 29.13). Veremos Jesus quando nosso maior anseio for ter os olhos abertos para ele, quando nenhum outro desejo dentro do coração for maior do que a vontade de ser dele e para ele. Veremos Jesus quando nossa oração for como a do salmista: "Uma coisa pedi ao SENHOR; é o que procuro: que eu possa viver na casa do SENHOR todos os dias da minha vida, para contemplar a bondade do SENHOR..." (Sl 27.4). Qual é a "uma coisa" que você pede ao SENHOR? Qual é o conteúdo de suas orações? Elas se voltam mais para as coisas deste mundo ou para a glória de Deus?

Jesus está de pé diante de você. Hoje. Agora. E ele lhe faz uma simples pergunta: "O que você quer que eu lhe faça?". Qual é o maior desejo do seu coração? Minha oração é que seu anseio por ver o Salvador supere todos os outros.

## Olhos abertos

Acredito que toda a multidão que naquele momento acompanhava Jesus, em Jericó, ficou em silêncio quando Bartimeu foi levado até o Senhor. Imagino que aquelas dezenas de pessoas ao redor dos dois parou para ouvir o diálogo entre eles, deixando-os em um pequeno espaço no meio da aglomeração. Todos estavam atentos para ver o que Jesus faria com aquele homem.

Foi quando o Mestre falou: "Vá", disse Jesus, "a sua fé o curou" (cf. Mc 10.52). Assim que ele terminou de pronunciar aquelas palavras, todas as células e os tecidos danificados dos globos oculares e das ligações nervosas dos olhos de Bartimeu foram refeitos e, em questão de milésimos de segundo, a escuridão que o acompanhara por anos foi interrompida. Luzes e cores invadiram seu campo sensorial, e a primeira imagem que entrou pelos olhos do ex-cego foi a face de Jesus. Acredito que Bartimeu nunca mais se esqueceu daquele rosto, do olhar e da expressão facial de misericórdia.

Quando penso nessa cena, outra história me vem à lembrança: a descrição da criação do homem. O texto de Gênesis relata que Deus formou o ser humano do pó da terra e, depois de ter feito Adão, soprou vida em suas narinas. Assim que se tornou gente, aquele homem abriu os olhos pela primeira vez. Consegue imaginar o que ele viu? O mesmo que Bartimeu nas ruas de Jericó. A primeira cena gravada no cérebro de Adão foi a face de Deus.

É por isso que o ser humano nutre uma enorme insatisfação que nada neste mundo consegue sanar. Desde sempre ele vem tentando resolver essa necessidade de ver Deus, e o faz recorrendo a entretenimento, sexo e todo tipo de prazeres e ídolos. Mas sua busca não cessará enquanto ele não fizer aquilo de que realmente precisa: ver Jesus. Pois essa é a única forma de voltar ao estado perfeito, tornando-se uma cópia do Senhor.

A ordem de Cristo para Bartimeu foi: "Vá, a sua fé o curou". O Mestre o mandou ir, mas, ao contemplar a beleza de Cristo, o ex-cego não conseguiu deixá-lo. Marcos termina o relato dizendo: "Imediatamente ele recuperou a visão e seguiu Jesus pelo caminho" (Mc 10.52). Após ver o Mestre, o filho de Timeu se tornou seu seguidor.

Clame de todo o coração: "Jesus, filho de Davi, tem misericórdia de mim, pois meu maior desejo é ver a tua face!", e creio que o Espírito Santo abrirá os seus olhos. Nas próximas vezes em que ler a Bíblia, você não verá apenas um texto, mas um homem: Jesus. Ao parar para ouvir uma pregação, já não será uma palestra qualquer, mas o próprio Cristo falando com você. Quando for orar, já não será um ritual religioso, mas uma conversa com seu melhor amigo.

E prepare-se, porque ver Jesus o fará ser tomado pelo desejo de segui-lo. Você não conseguirá fazer outra coisa, a não ser tornar-se um discípulo dele. Mais ainda: entrar em contato com o ser mais belo que existe o fará querer se parecer com ele. Suas ambições carnais, temporais e passageiras serão trocadas pelo mais nobre de todos os desejos: a ambição duradoura e eterna de tornar-se uma cópia de Jesus.

# 5

# OLHOS FIXOS NA ETERNIDADE

Depois da crucificação de Jesus, seu corpo foi posto em um sepulcro. No domingo, antes de o sol nascer, Maria Madalena foi ao túmulo para finalizar os ritos fúnebres; porém, para seu espanto, a enorme pedra usada para lacrar a entrada havia sido removida, e o cadáver não estava lá. Assim como as autoridades judaicas e romanas, ela pensou que o tivessem tirado do local.

Os discípulos, perseguidos por terem andado com Jesus, agora eram considerados os principais suspeitos do suposto furto. Os soldados romanos responsáveis por guardar o túmulo, a fim de que o cadáver do condenado não fosse levado por seus seguidores, alegaram falsamente que os discípulos tinham se apossado do corpo. Agora, aqueles homens e mulheres, que estavam na mira dos religiosos judeus, também se tornaram procurados pela polícia romana! Que medo, que apreensão, que sofrimento estavam experimentando os seguidores do nazareno!

É nesse clima que encontramos os discípulos dentro de uma casa, com portas e janelas trancadas e completamente aterrorizados. Eles estavam com medo de ser pegos pelos judeus ou, pior, pelos romanos. Imagino que um silêncio fúnebre tomava conta do ambiente, silêncio esse quebrado, de vez em quando, por pequenos sussurros ao pé do ouvido. Qualquer som do lado de fora da casa devia fazer que seus pelos arrepiassem, o coração acelerasse e o corpo se preparasse para lutar ou correr. No meio de toda essa tensão, algo inesperado aconteceu. Alguém entrou na casa. Um estranho invadiu o esconderijo deles, sem precisar abrir portas ou janelas. Ele simplesmente apareceu ali. Quando o coração dos discípulos estava prestes a sair pela boca, o homem disse: "Paz seja com vocês".

De repente, uma paz que excede todo o entendimento invadiu o ambiente. Corações se acalmaram, pelos voltaram ao normal e músculos relaxaram. Afinal, aquela era a voz que eles viram controlar o mar e o vento, que tinha poder para ressuscitar mortos e purificar leprosos, à qual até os demônios obedeciam. A suave e poderosa voz de Jesus.

Ele estava vivo! Mas... aquilo parecia impossível. Os discípulos haviam visto seu corpo sem vida e tinham visitado o túmulo! O próprio João testemunhou quando Jesus deu o último suspiro. Mas, para não deixar qualquer dúvida, o Senhor mostrou as mãos perfuradas e o lado rasgado. Era ele. Sim, Jesus estava realmente vivo! Nem a morte era capaz de conter o Mestre! Aqueles homens e mulheres tiveram uma prova acima de qualquer contestação de que o que Jesus lhes ensinara nos três anos anteriores era verdade: *nele, a vida era eterna!*

Cristo vencera aquilo que lhes causava medo e os trancava naquela casa: a morte. O castigo da humanidade agora não tinha mais força para ameaçá-los, pois Jesus ressuscitara!

O reino que ele dizia ter chegado era verdadeiro. A vida eterna existe! Ver Jesus vivo mudou absolutamente tudo! Ter uma experiência pessoal com o Cristo ressuscitado trouxe a certeza da vida eterna, que, por sua vez, transforma uma pessoa aprisionada pelo medo em um destemido guerreiro imortal do reino de Deus.

Isso fica claro em Atos dos Apóstolos. Os primeiros capítulos se passam dias depois dos eventos descritos no final de João. Em vez de um grupo de homens e mulheres aterrorizados e, por isso, fechados em casa, vemos soldados de Cristo andando pelas ruas, sem nada temer; pelo contrário, eles argumentavam corajosamente com os judeus sobre o reino de Deus e anunciavam em alta voz as boas-novas, gritando que o criminoso morto pelos judeus havia ressuscitado, estava vivo e voltaria para buscá-los. Por isso, era preciso se arrepender. Aqueles que estavam com medo de ser torturados agora se alegravam e se sentiam honrados por ser açoitados por amor a Cristo.

O que mudou entre o final de João e o começo de Atos dos Apóstolos? O que transformou pescadores, bandidos, torturadores ou simples cidadãos em homens que mudaram o mundo? *Eternidade*. O senso de eternidade invadiu os discípulos.

## A diferença que a percepção da eternidade faz

Você tem medo da morte? É importante ter a resposta bem clara, pois a autenticidade da fé que depositamos em Jesus passa por nossa relação com a morte. Alguém que nasceu de novo e tem a certeza de que passará a eternidade com Deus não pode temer a sepultura. Quando cremos em Jesus, a morte deixa de ser a porta de saída do mundo e se torna a porta de entrada numa maravilhosa realidade eterna. Um cristão verdadeiro, apaixonado por Cristo, enxerga a morte como o grande dia em que ele se encontrará, face a face, com seu amado. Paulo nos mostra isso em Filipenses.

> Aguardo ansiosamente e espero que em nada serei envergonhado. Ao contrário, com toda a determinação de sempre, também agora Cristo será engrandecido em meu corpo, quer pela vida, quer pela morte; porque para mim o viver é Cristo e o morrer é lucro. Caso continue vivendo no corpo, terei fruto do meu trabalho. E já não sei o que escolher! Estou pressionado dos dois lados: desejo partir e estar com Cristo, o que é muito melhor; contudo, é mais necessário, por causa de vocês, que eu permaneça no corpo.
>
> Filipenses 1.20-24

Paulo não tinha medo da morte; ele a desejava: "desejo partir e estar com Cristo". Ele via a morte como lucro. Apenas o amor pelo próximo e a missão de anunciar o evangelho o incentivavam a permanecer nesta terra. Pois, no dia em que se encontrou com Jesus na estrada para Damasco, ele passou a amar o Senhor.

Não faz o menor sentido alegarmos amor a Cristo acima de tudo e não desejarmos nos encontrar com ele. A figura que Jesus usa para ilustrar nossa relação com ele é a de um noivo e sua noiva. Se uma moça diz amar o noivo profundamente, mas se recusa a se encontrar com ele face a face, posso afirmar que ela, na realidade, não o ama. Alguém que se diz cristão mas tem medo da morte na verdade ainda duvida da eternidade e, provavelmente, não teve um encontro genuíno com o Cristo vivo — pois ver Jesus muda tudo!

Se cremos na promessa da ressurreição e temos certeza de que iremos para o reino do amor de Deus, por que investimos todo tempo, dinheiro e esforço neste mundo passageiro? Vejo a maioria dos cristãos, que dizem crer na vida eterna, totalmente concentrados e preocupados com seu conforto na vida terrena, investindo aqui tudo o que têm, preparando-se e organizando-se para um futuro que só vai até o momento da morte. Até mesmo suas orações e campanhas são para gerar mais conforto na estadia terrena. À luz do evangelho, isso não faz o menor sentido. Essas pessoas precisam, urgentemente, ser invadidas pela eternidade!

A Bíblia nos conta a história de Noé, que tocava sua vida normalmente até que recebeu uma notícia: o mundo seria destruído por um dilúvio. Você acha que Noé continuou a comprar terrenos e propriedades? Que ele construiu algum celeiro para guardar as economias? Que ele trabalhou ao menos mais um dia para aumentar o rebanho? Que ele estava preocupado com as roupas da moda ou com viagens de férias? Depois que Deus lhe revelou que aquele mundo acabaria, todos os esforços, recursos e minutos de vida de Noé passaram a ser dedicados à construção da arca e à certeza de que ele e sua família estariam dentro dela.

O fim deste mundo em que tanto investimos já foi decretado. Tudo o que há nele será destruído. Todo centavo, segundo e toda gota de suor investidos aqui são um total desperdício. Por isso, nós, filhos de Deus, somos orientados a usar tudo o que possuímos em prol da glória futura. Acreditar na eternidade altera totalmente nossa visão da vida e de cada detalhe dela.

Lembro-me de um rapaz que conheci em um voo de Porto Alegre para Campinas. Sentei-me ao lado dele e comecei a puxar conversa, com a expectativa de falar-lhe de Jesus. Perguntei sobre o trabalho, a família, os passatempos, o futuro e muitas outras coisas, mas não conseguia introduzir Jesus no diálogo. Até que, enfim, usei minha cartada final: fiz uma pergunta sobre a eternidade. Olhando pela janela do avião, indaguei: "Sempre que estou no avião e olho para o céu, fico pensando no que existe depois que a gente morre. Para onde será que vamos? O que você acha?". Para minha surpresa, o rapaz respondeu: "Acho que não existe nada". Para entendê-lo melhor, perguntei: "Como assim, nada?". Ele nem mesmo pensou, e disse: "Creio que a gente morre e acabou. Esta vida é tudo o que existe". A conversa se encerrou ali, pois ele não me deu mais abertura para continuar falando.

Esse episódio me levou a pensar mais sobre a eternidade. Tentei me pôr no lugar de uma pessoa que não crê na vida eterna, alguém que acredita que este mundo é tudo o que há. Cheguei a uma conclusão: quando não cremos na existência do céu, tendemos a construir nosso céu particular aqui. Se esta vida é tudo o que existe, ansiamos por realizar todos os nossos desejos e conseguir desfrutar do máximo prazer possível neste mundo, pois só temos esta oportunidade. Paulo, citando Isaías, escreveu: "Se os mortos não ressuscitam, 'comamos e bebamos, porque amanhã morreremos'" (1Co 15.32). Crer na eternidade nos obriga a repensar todas as áreas da vida. Paramos e reconsideramos como vivemos cada momento, perguntando-nos: isso faz sentido à luz da eternidade? Qual é o objetivo da vida se não há eternidade?

O que o homem sem Deus ainda não percebeu é que, em sua busca por vida, ele está se suicidando. No casamento, a esposa tenta extrair prazer de seu marido, porém o marido está com o mesmo objetivo de extrair da esposa prazer para si. Quando menos percebem, a meta de ambos não foi atingida e ninguém está feliz — e, por isso, começam a se ferir. Na tentativa de evitar sofrimento a todo custo, o homem sem Deus se torna um ser frágil, despreparado para a vida, e, na primeira tempestade que surge, seu mundo desmorona. Em sua busca por felicidade, não percebe que tudo que seu corpo mais quer o mata mais rapidamente. Sexo, comida em excesso, substâncias químicas, adrenalina do perigo e tantas outras coisas. Agostinho descreve esse estilo de vida como "beber água salgada, tentando matar a sede": quanto mais você bebe, mais sedento fica.

Jesus advertiu as pessoas que estão nesse caminho, dizendo: "Aquele que ama a sua vida, a perderá; ao passo que aquele que odeia a sua vida neste mundo, a conservará para a vida eterna" (Jo 12.25). Cristo veio propor uma nova forma de viver — ou (por que não dizer?) a verdadeira forma de viver. Jesus veio apresentar ao homem uma vida que não termina com a morte.

Ele reformulou a maneira de viver neste mundo.

## De agora em diante

Paulo afirmou à igreja de Corinto que tudo mudara. Que, depois que tomamos ciência de nossa eternidade, precisamos revisar cada aspecto da vida.

> O que quero dizer é que o tempo é curto. De agora em diante, aqueles que têm esposa, vivam como se não tivessem; aqueles que choram, como se não chorassem; os que estão felizes, como se não estivessem; os que compram algo, como se nada possuíssem; os que usam as coisas do mundo, como se não as usassem; porque a forma presente deste mundo está passando.
>
> 1Coríntios 7.29-31

Minha oração é que Deus, usando este livro como instrumento, ponha dentro de você a plena compreensão da eternidade, a noção de que você não tem fim. E que, a partir dessa revelação, tudo em sua vida comece a mudar. Vejamos alguns exemplos.

*O sentido do casamento mudou*

Se não há eternidade, qual é o sentido do casamento? Se cremos que esta vida é tudo o que temos, logo, precisamos nos unir a uma pessoa somente a fim de obter prazer e de usá-la para nosso bem-estar físico, psíquico e social. Caso ela não corresponda a essa demanda, vamos descartá-la rapidamente e encontrar outro cônjuge, pois a vida está passando. Entretanto, no momento em que tomamos consciência de nossa eternidade, o sentido do casamento muda.

O primeiro tema que Paulo trata com a igreja de Corinto é justamente o casamento: "aqueles que têm esposa, vivam como se não tivessem". É claro que ele não está incentivando os maridos a viverem como solteiros, pois o apóstolo, em outras cartas, deixa claro o papel do marido dentro de casa e seus deveres para com a esposa. O que Paulo está dizendo é que o foco da vida de um marido não pode mais ser a esposa, assim como o foco da esposa não é mais satisfazer o marido. O ensinamento não é "pare de satisfazer o cônjuge", mas sim "não tenha sua família como prioridade, pois Deus nos deu alguém que é mais importante do que ela: Jesus".

Provavelmente, havia em Corinto pessoas que colocavam a família no lugar de Deus, gente que usava as necessidades de seus filhos ou cônjuge como desculpa para não servir de todo o coração ao Senhor, ou para não buscar em primeiro lugar seu reino e sua justiça. O problema é que o próprio Jesus declarou: "Se alguém vem a mim e ama o seu pai, sua mãe, sua mulher, seus filhos, seus irmãos e irmãs, e até sua própria vida mais do que a mim, não pode ser meu discípulo" (Lc 14.26). Em certa ocasião, um grupo de saduceus levantou uma questão para Jesus responder.

> Mestre, Moisés nos deixou escrito que, se um homem morrer e deixar mulher sem filhos, seu irmão deverá casar-se com a viúva e ter filhos para seu irmão. Havia sete irmãos. O primeiro casou-se e morreu sem deixar filhos. O segundo casou-se com a viúva, mas também morreu sem deixar filhos. O mesmo aconteceu com o terceiro. Nenhum dos sete deixou filhos. Finalmente, morreu também a mulher. Na ressurreição, de quem ela será esposa, visto que os sete foram casados com ela?
>
> MARCOS 12.19-23

O Senhor, ao responder-lhes, transmitiu uma informação sobre o reino de Deus: "Vocês estão enganados! Pois não conhecem as Escrituras nem o poder de Deus! Quando os mortos ressuscitam, não se casam nem são dados em casamento, mas são como os anjos nos céus" (Mc 12.24-25). Se não serei casado com Valéria na eternidade, qual é o sentido de pôr o casamento acima daquilo que é eterno? Por causa de minha ignorância em relação à majestade do reino de Deus, volta e meia me pego triste com a ideia de que não terei a Val como esposa, pois ela é a pessoa que mais amo nesta terra. Então, para que serve o casamento?

Acredito que a resposta esteja em Efésios, nos ensinos de Paulo às esposas e aos maridos. Ele instrui os maridos acerca de qual é o tipo de amor que Deus deseja que tenham pela esposa: "Maridos, ame cada um a sua mulher, assim como Cristo amou a igreja e entregou-se por ela" (Ef 5.25). Já li esse texto dezenas de vezes. Como meus pais sempre estiveram envolvidos em projetos de orientação a casais e famílias, ouvi minha vida inteira questões relacionadas a casamento. Mas, um dia, parei para analisar os detalhes desse versículo. A dúvida dentro de mim era: como exatamente Jesus amou a Igreja? O que um marido que reserva à esposa um amor como esse deve fazer por ela?

Sempre entendi esse texto no sentido do serviço. Nós, maridos, devemos servir à esposa. Precisamos nos doar em favor dela e nos esforçar para lhe dar conforto e alegria. Nosso dever como líderes é amá-la a ponto de dar a vida para protegê-la, se necessário. Quando penso nisso, sempre me vem à mente a figura de Jesus lavando os pés dos discípulos, exemplo que devemos seguir com nossa esposa.

E qual é a finalidade desse amor? Quando olho para Jesus e para a Igreja, não compreendo que o objetivo de Cristo seja dar conforto à noiva. Tudo o que Jesus faz para a noiva, do lavar dos pés até a cruz, teve um objetivo maior: *salvação*. O que significa amar a esposa como Cristo amou a Igreja? Significa fazer tudo o que estiver ao seu alcance para vê-la entrar no reino de Deus. Se for necessário morrer por essa causa, nós, maridos, devemos fazê-lo. A maior expressão de amor de um homem é preparar sua esposa para encontrar o verdadeiro noivo dela, Jesus. É exatamente isso que Paulo diz em Efésios: "Maridos, ame cada um a sua mulher, assim como Cristo amou a igreja e entregou-se por ela para santificá-la, tendo-a purificado pelo lavar da água mediante a palavra, e para apresentá-la a si mesmo como igreja gloriosa, sem mancha nem ruga ou coisa semelhante, mas santa e inculpável" (Ef 5.25-27).

Paulo diz que o amor de Jesus pela Igreja teve como propósito santificá-la. Seu amor não tinha raízes neste mundo, mas no reino. Um dia, nos apresentaremos diante de Jesus, e, se nessa ocasião sua esposa não estiver "sem mancha nem ruga ou coisa semelhante, mas santa e inculpável", o fato de vocês terem vivido um bom casamento de nada valerá.

Os solteiros precisam entender que casamento não é recreação. Casamento é um pacto para a santidade. São duas pessoas que se unem para auxiliar uma à outra a chegar ao céu. Por isso, busque alguém que possa santificá-lo. É melhor estar solteiro do que casado com alguém que torna mais difícil seu relacionamento com Deus.

Os casados não devem mundanizar o casamento. Essa instituição foi criada por Deus para ajudar-nos a suportar os desafios deste mundo. Entenda: sua esposa não é sua; ela já tem um noivo. Você é desafiado a prepará-la para se encontrar com ele.

Por outro lado, as Escrituras registram em Gênesis 2.18: "Então o SENHOR Deus declarou: 'Não é bom que o homem esteja só; farei para ele alguém que o auxilie e lhe corresponda'". Com base nisso, a esposa precisa entender que o futuro nos reserva uma audiência com Deus, na qual lhe apresentaremos nossas obras. O objetivo do casamento é que o casal tenha obras preciosas para mostrar ao Pai. Por isso, as mulheres precisam se casar com um homem que tenha uma missão à qual elas também estejam dispostas a se dedicar, por toda a vida, até que a morte os ponha de frente com o Criador.

Foi por isso que Paulo escreveu que o desafio da esposa é a submissão. Muitas mulheres têm dificuldade com esse conceito, pois pensam que Paulo está sendo machista e dizendo que elas são servas do marido. Não é isso! Submissão significa "exercer missão de apoio", ou seja, é estar debaixo (sub) da missão de alguém. Então, cabe à esposa ser a principal torcedora, auxiliadora e incentivadora dos projetos que Deus pôs no coração do marido.

Fica claro como a percepção da eternidade muda o sentido de casamento: de uma relação voltada para o prazer e o bem-estar pessoal para um relacionamento dedicado a se preparar para encontrar com Deus.

*O sentido do sofrimento mudou*

Se não há eternidade, qual é o sentido do sofrimento? Se cremos que esta vida é tudo o que temos, o sofrimento não serve para nada e deve ser evitado a todo custo. Sem a perspectiva do porvir, precisamos criar toda sorte de mecanismos para evitar qualquer tipo de mal. Assim, se algo o faz sentir-se desconfortável, elimine-o de sua vida imediatamente — afinal, você merece ser feliz.

O pastor Ed René Kivitz, em sua pregação "Homens dos quais o mundo não é digno", ministrada em 2009 no Congresso Haggai, conta a história de um casal que dedicou sua vida à missão. Depois de cinquenta anos como missionários em outro país, eles foram jubilados e voltaram a sua nação de origem. Na viagem de volta, dentro do navio, aquele casal imaginava como seria recebido, depois de uma vida dedicada ao reino de Deus, especulando que honras o aguardava em sua terra natal. Ao aportarem, depois de muitos dias no mar, perceberam que ninguém os esperava. Demoraram um pouco para descer, pois estavam viajando de terceira classe, e foram para sua velha casa, muito desgastada pelo passar do tempo. Não havia viva alma para saudá-los, nem nenhuma festa. Ninguém estava lá para recepcioná-los e muito menos honrá-los.

O marido, revoltado, saiu de casa, batendo a porta. Mas, antes de sair, disse à esposa. "Vou caminhar um pouco. Pergunte a Deus se é isso o que ele tem para nos dar ao voltarmos para casa, depois de cinquenta anos de ministério". Depois de uma longa caminhada, ele retornou e encontrou a esposa mexendo em alguma coisa na pia. De pé, atrás dela, perguntou, em tom de deboche: "E aí, perguntou a Deus se é isso o que ele tem para nos dar em nossa volta para casa?". Sem nem ao menos virar-se, a mulher respondeu: "Perguntei". "E o que foi que ele disse?", indagou o marido. Ela foi precisa: "Ele disse que ainda não chegamos a nossa casa".

Sabe por que sofremos? Porque ainda não chegamos à nossa casa. Imagine um pinguim, que nasceu no polo sul. Sua estrutura física foi totalmente desenhada para aquele hábitat frio. O que aconteceria se o tirássemos de seu ambiente e o trouxéssemos para o Rio de Janeiro, a fim de passar um tempo na praia, em pleno verão? João descreve o sentimento que precisamos ter na vida terrena, semelhante ao de um pinguim na areia quente: "Não amem o mundo nem o que nele há. Se alguém ama o mundo, o amor do Pai não está nele" (1Jo 2.15).

A pregação de Jesus deve nos encher de esperança, porque um dia viveremos eternamente com ele em seu reino, onde não haverá choro, dor nem sofrimento. Então, hoje, sofrer é um bom sinal, pois revela que não estamos confortáveis com o sistema atual e não fomos idealizados para viver nesta era nem neste estado de coisas. Amar este mundo é um indicativo de que seu coração fez morada na presente era, que o amor do Pai ainda não o alcançou e que seus olhos ainda não se abriram para a revelação do reino de Deus.

Uma vez que nasce de novo e passa a enxergar esse reino, você é tomado por uma esperança que torna passageira quaisquer aflições ou dores. E começa a agir como um atleta que treina para uma competição e persevera, apesar das dores resultantes de seu esforço, pois tem os olhos fixos no prêmio. Não devemos desanimar diante de nenhuma tribulação, pois nossos olhos miram a recompensa: reinar eternamente com Cristo. Paulo descreve seu sofrimento da seguinte maneira: "... nossos sofrimentos leves e momentâneos estão produzindo para nós uma glória eterna que pesa mais do que todos eles. Assim, fixamos os olhos, não naquilo que se vê, mas no que não se vê, pois o que se vê é transitório, mas o que não se vê é eterno" (2Co 4.17-18).

O homem que descreveu os sofrimentos como "leves e momentâneos" é o mesmo que recebeu 39 chibatadas dos judeus, em cinco ocasiões diferentes, foi três vezes açoitado com varas e uma vez apedrejado de forma severa. Se isso não bastasse, o apóstolo passou por três naufrágios e amargou fome, sede e frio. Mas, ao olhar para o próprio corpo, coberto de cicatrizes, Paulo afirmou que seus sofrimentos eram "leves e momentâneos", pois estava com os olhos fixos nas coisas eternas, que produzem um peso de glória muito superior a qualquer adversidade.

Depois que a eternidade entra em uma pessoa, tudo se altera, inclusive o modo como ela entende a dor. Fica claro como a percepção do sofrimento muda perante a perspectiva da eternidade.

*O sentido da felicidade mudou*

Se não há eternidade, qual é o sentido da felicidade? Se cremos que esta vida é só o que temos, a felicidade é tudo. Para quem não considera o porvir, todos os seus atos devem ser praticados visando à busca pela satisfação terrena. Por essa ótica, tudo o que tem e todas as pessoas próximas existem para fazê-lo feliz. O homem com essa mentalidade hedonista destrói o planeta a fim de tirar de seus recursos formas de satisfazer sua gana por felicidade. A filosofia do homem que não tem confiança na vida eterna é: faça o que quiser, contanto que esteja feliz!

O pastor John Piper afirma que o problema do ser humano não é a busca pelo prazer, mas sim o contentamento com pouco. Ele diz que a necessidade de ser feliz, comum a todos os homens, foi insuflada por Deus, que tem muito prazer para nos oferecer. Quando descobrimos essa fonte de prazer verdadeiro, não podemos nos contentar com pequenas porções. Ao ter contato com o Criador da felicidade, não há como estar satisfeito com um filme, um jogo, sexo fugaz ou um pedaço de bolo. Deus quer que sejamos insaciáveis, pois ele é uma fonte inesgotável!

Paulo escreveu: "Alegrem-se sempre no Senhor. Novamente direi: Alegrem-se!" (Fp 4.4). Repare que o versículo está no tempo verbal imperativo, o que faz dele uma ordem, um mandamento. *Alegrem-se!* Deus ordena que seus filhos sejam felizes, pois não existe adoração sem alegria. Antes de conhecermos Cristo, a felicidade tinha como foco nós mesmos; porém, depois que conhecemos o Criador do Universo, nossa felicidade já não nos põe no centro, mas sim Deus. Piper vai além e diz que o Senhor é mais glorificado em nós quanto mais satisfeitos estamos nele. Ou seja, a alegria que recebo de minha relação com Deus glorifica o seu nome.

Alguns anos atrás, eu estava pesquisando sobre as funcionalidades de um *smartphone* que desejava comprar. Digitei o nome do modelo em um *site* de vídeos, para ver algumas resenhas sobre o produto. Foi quando deparei com alguns vídeos que tinham o título *Unboxing*. Este termo quer dizer, em inglês, "Desencaixotando" e se refere àquele momento em que abrimos a embalagem de algum produto. Assisti a alguns desses vídeos, que mostravam pessoas filmando a si mesmas, demonstrando prazer com um objeto que haviam comprado. Elas elogiavam a embalagem, o cheiro do produto novo, a textura, o formato, o acabamento e outras características. Era possível perceber a euforia em relação ao produto. E isso fazia que os espectadores desejassem adquirir o produto também. Foi quando percebi que o fato de aqueles indivíduos terem prazer com tal objeto não trazia a atenção para eles, mas para o objeto. Ou seja, quanto mais prazer demonstravam pelo *smartphone*, mais aquele aparelho era glorificado. Não existe adoração verdadeira sem prazer.

Depois de deparar com o Rei da glória e a perspectiva da eternidade ao lado dele, a felicidade deixa de ser uma forma egoísta de buscar prazer e se transforma na melhor maneira de glorificar a Deus e fazer seu nome famoso na terra, pois as pessoas que nos veem satisfeitos em Cristo passam a desejar estar nele também.

*O sentido de acumular bens mudou*

Se não há eternidade, qual é o sentido de acumular bens? O objetivo de quem desconsidera o porvir é extrair prazer do ato de possuir bens, é acumular o maior número possível de coisas, mesmo sem precisar delas. E, para os tais, o importante não é o que se tem, mas se isso é melhor do que o que os outros têm.

Se existe um assunto que causa discussões dentro da igreja é dinheiro. Em nossos dias, vemos igrejas defenderem os dois extremos: uns dizem que prosperidade financeira é um indicativo da bênção divina e que devemos buscá-la a todo custo, pois os filhos de Deus "desfrutarão do melhor desta terra". Eles se baseiam em textos como: "O ladrão vem apenas para roubar, matar e destruir; *eu vim para que tenham vida, e a tenham plenamente*" (Jo 10.10) e, por isso, dizem que andar com Jesus é ter tudo em abundância. Porém, há o outro lado da corda: aqueles que defendem a ideia de que o coração de Deus é alcançado por meio da pobreza material, de modo que, quanto mais miseráveis materialmente formos, mais fácil será nosso acesso a Deus. Estes se baseiam em textos como: "Olhando para os seus discípulos, ele disse: 'Bem-aventurados vocês, os pobres, pois a vocês pertence o Reino de Deus'" (Lc 6.20) e "Mas ai de vocês, os ricos, pois já receberam sua consolação" (v. 24). Com isso, afirmam que o correto é se desfazer de todas as posses materiais e viver uma vida extremamente humilde.

Como devemos viver, então, se os defensores dos dois lados têm argumentos bíblicos para sustentar sua posição? É recomendável agir como se o dinheiro fosse um mal ou como se fosse a confirmação da bênção de Deus?

O que precisamos compreender, na busca pela resposta, é que não estamos na terra para desfrutar de um tempo de divertimento. Nós estamos aqui para uma guerra! Somos soldados convocados para lutar pelo reino de Deus. Em uma guerra, o dinheiro tem uma finalidade: patrocinar a vitória da pátria combatente. Se o reino avançará mais com suas riquezas, trabalhe para isso. Porém, se o avanço do reino for maior se você abrir mão de ganhar dinheiro e servir com seu suor, que assim seja! Quando captamos a noção de que herdaremos a eternidade, tudo muda, pois passamos a viver em guerra, como parte de um exército que invadiu a terra e está propagando seu reino neste lugar. Nós estamos em missão.

Jesus disse: "Não pensem que eu vim trazer paz à terra; não vim trazer paz, mas *espada*" (Mt 10.34). Paulo, por sua vez, desenvolve mais a questão: "pois a nossa luta não é contra seres humanos, mas contra os poderes e autoridades, contra os dominadores deste mundo de trevas, contra as forças espirituais do mal nas regiões celestiais" (Ef 6.12); "Suporte comigo os meus sofrimentos, como bom *soldado de Cristo* Jesus. Nenhum soldado se deixa envolver pelos negócios da vida civil, *já* que deseja agradar aquele que o alistou" (2Tm 2.3-4); "Combati o bom combate, terminei a corrida, guardei a fé" (2Tm 4.7); e "As armas com as quais lutamos não são humanas; ao contrário, são poderosas em Deus para destruir fortalezas" (2Co 10.4).

Espada, luta, soldado, combate, armas... Você já havia percebido essa linguagem bélica nos textos bíblicos? Deus quer preparar você para as batalhas que travará diariamente. Ele deseja pôr uma espada em sua mão, revesti-lo com uma armadura e treiná-lo para lutar o bom combate de Cristo. E perceba: soldados em guerra compram apenas o necessário para a batalha. Não se preocupam em acumular, pois seu único intento é cumprir uma missão, a saber, defender a pátria e lutar pelo comandante.

O filme *O novo mundo*, dirigido por Terrence Malick e lançado em 2005, conta a história de uma expedição britânica à América do Norte, em 1607. Ao chegar ao novo continente, o grupo começa a explorar o local com base em um plano de colonização. Um dos integrantes, o capitão John Smith, fica encarregado de liderar o grupo, mas é capturado pelos índios. Smith é interrogado e quase executado, mas sua vida é poupada quando Pocahontas, filha do chefe da tribo, intervém e o salva. O britânico continua preso e passa a viver na tribo, onde ganha o respeito de todos. Inesperadamente, John se apaixona por Pocahontas e, a partir de então, muda de lado e abandona o interesse de sua pátria de origem, passando a amar o novo mundo. Seu objetivo deixa de ser a conquista daquele território, mas sim satisfazer os desejos de seu coração.

Essa história ilustra com perfeição o modo como grande parte dos cristãos tem vivido hoje. Somos soldados enviados por Deus em uma expedição à terra, com o objetivo de lutar contra o reino das trevas e dominar territórios para Deus. Mas, no meio da missão, muitos se apaixonam pelo lugar e suas riquezas e passam a ignorar a missão, dando as costas à sua verdadeira pátria, o céu.

O primeiro sintoma a revelar nossa falta de entendimento quanto ao contexto de guerra em que vivemos é o amor que nutrimos por este mundo e por tudo o que ele tem a oferecer. Caímos na cilada sobre a qual Paulo alertou Timóteo: “Nenhum soldado se deixa envolver pelos negócios da vida civil”. Soldado dorme, acorda, compra e usa as coisas com um único propósito em mente: vencer a guerra e retornar a salvo para casa. Depois que somos convocados, tudo muda.

"Busquem, pois, em primeiro lugar o Reino de Deus e a sua justiça" não era apenas um discurso de Jesus; era seu estilo de vida. Tudo o que ele fazia visava à glória de Deus e à manifestação do reino celestial à terra. Se você também tomar essa busca como estilo de vida, tendo os mesmos objetivos de Cristo, então terá se tornado uma cópia de Jesus.

# 6

# VENHA O TEU REINO

Se desejamos ser cópias de Jesus e, assim, dar continuidade ao seu ministério neste mundo, temos de nos perguntar: qual foi o tema central da vida de Jesus, o principal objetivo de sua vinda à terra? Caso você tivesse de resumir o ministério de Cristo em um tópico, qual seria? Qual foi o assunto sobre o qual Jesus mais falou em seus ensinamentos? As respostas mais comuns que ouvimos são: salvação, amor, vida, cruz e justificação, entre outras. Apesar de a mensagem de Jesus carregar todos esses temas, nenhum deles pode ser considerado central. O assunto imensamente enfatizado na pregação de Cristo foi *o reino de Deus*.[1]

[1] Isto pode ser visto principalmente no Evangelho segundo Mateus, no qual Jesus é anunciado como o Messias, o Rei de Israel e o Filho de Davi. O comentarista Charles Ryrie disse que o reino dos céus é o assunto central de boa parte dos ensinamentos de Cristo registrados por Mateus. A palavra "reino" aparece 152 vezes no Novo Testamento, sendo 53 em Mateus. Em cada capítulo desse livro, há, em média, pelo menos duas menções ao reino. No Evangelho segundo Marcos, a palavra aparece 19 vezes, praticamente uma citação por capítulo. Lembrando que Marcos enfatiza muito mais o que Jesus fazia do que aquilo que falava, pois foi escrito tendo os romanos como público-alvo. Em Lucas, a palavra aparece 43 vezes, quase duas por capítulo. Além do termo em si, é importante lembrar que diversas parábolas foram contadas por Jesus a fim de esclarecer o significado do reino.

O reino de Deus, ou, como Mateus o chamou, reino dos céus, liga toda a mensagem do Senhor. Era o âmago, a essência de seu ministério, e o permeava todo, conferindo-lhe coerência e clareza incomuns. Tanto que o evangelista Marcos afirma: "Depois que João foi preso, Jesus foi para a Galileia, proclamando as boas novas de Deus. 'O tempo é chegado', dizia ele. 'O Reino de Deus está próximo. Arrependam-se e creiam nas boas novas!'" (Mc 1.14-15)

Marcos resumiu o ministério de Jesus ao afirmar que este viajava por toda parte proclamando a boa notícia: "O Reino de Deus está chegando". É claro que Cristo não falava apenas estas duas frases, "O tempo é chegado" e "O Reino de Deus está próximo". O que Marcos disse foi que tudo o que o Messias fazia carregava a temática do reino divino. A pregação de Jesus anunciava a chegada do reino dos céus, seus ensinamentos mostravam como entrar nesse reino, e suas parábolas esclareciam como funciona a pátria celestial.

Sendo esse o principal tema da vida de Jesus, não deveria ser o nosso também? Vejo uma enorme quantidade de cristãos que sabem muito sobre calvinismo, arminianismo, pré-milenismo, amilenismo, pós-milenismo e outras questões secundárias da fé cristã, mas sabem pouco sobre a mensagem central do Mestre: o reino de Deus. Por isso, devemos nos aprofundar naquilo sobre o que Jesus mais falou, a maravilhosa notícia que ele veio proclamar: o reino de Deus invadirá a terra!

## A invasão da terra

A principal confusão que se faz em relação ao conceito de reino de Deus é pensar que ele se refere a um lugar. Muitos acreditam que seremos levados para esse reino em termos geográficos. Porém, a noção de reino de Deus não diz respeito a uma localidade, mas sim a um tempo.

Talvez a forma mais fácil de entender essa ideia seja, em vez de usarmos a expressão "reino de Deus", utilizar "reinado de Deus". A notícia que Jesus veio trazer remete a um tempo em que o Senhor reinará soberanamente na terra. Hoje, vivemos na era em que a terra está submetida ao poder de uma criatura maligna, o Diabo (cf. 1Jo 5.19). Aguardamos, porém, um novo tempo, quando a terra não será mais influenciada pelo "deus desta era", Satanás (2Co 4.4), pois será totalmente governada por Deus! Esse tempo, que está por vir, é chamado "reino de Deus".

Deixe-me dar mais um exemplo, para que esse conceito fique bem claro. Considere esta frase: "Durante o reino de Isabel, a Inglaterra foi varrida pela violência, diferente do que ocorreu no reino de Jorge, que teve a paz como principal marca". Essa frase se refere a dois reinos; ambos, porém, acontecem no mesmo lugar, a Inglaterra; o que os diferencia é o tempo. Jesus veio anunciar que as pessoas deveriam se arrepender, pois ele tinha uma ótima notícia: estava chegando o tempo em que um novo rei se levantaria para governar a terra, o Rei dos reis, o próprio Deus. Cristo veio nos informar que haverá uma mudança de era, e, nessa mudança, todos os que creram nele e aceitaram o sacrifício por ele realizado não morreriam, mas teriam vida eterna e reinariam com o Senhor para sempre.

O reino de Deus em sua plenitude é algo futuro; porém, com a vinda do rei Jesus à terra, aqueles que creem nele já podem fazer parte dessa realidade, mesmo na presente era. A presença de Jesus é a presença do reino de Deus, pois, onde o rei está, ali está o seu reino! Cristo invadiu esta nossa era para um recrutamento, que chamamos de evangelismo. Seu objetivo era montar uma base de resistência contra o sistema atual. A essa base denominamos Igreja.

As pessoas da época de Jesus recebiam essa mensagem de modo diferente de nós hoje. Por vivermos em um país democrático, onde há eleições para escolher nosso líder, não experimentamos na prática o conceito de *reino*. A visão que o povo tinha ao ouvir a mensagem de Jesus, "o reino de Deus está próximo", era que um exército muito poderoso estava chegando para invadir sua nação, de modo que quem não se arrependesse nem passasse para o lado do reino de Deus teria problemas.

Certo dia, sentado com seus discípulos em um monte, Jesus começou a ensinar-lhes a orar. Mateus registra o que talvez seja a porção mais conhecida das Escrituras, o pai-nosso (cf. Mt 6.9-13). A intenção de Jesus não era nos dar uma "reza", ou seja, frases a serem repetidas mecânica e periodicamente. Afirmo isso com base no que Jesus disse antes de ensinar essa oração. Ele instruiu: "E quando orarem, *não fiquem sempre repetindo a mesma coisa*, como fazem os pagãos. Eles pensam que por muito falarem serão ouvidos" (v. 7). O Mestre estava explicando qual deveria ser a estrutura de uma oração. Ele mostrou aos discípulos o que deveriam dizer quando elevassem seus pensamentos e sua voz em oração.

Muitos livros já foram escritos, diversos sermões pregados e inúmeras composições musicais criadas tendo como assunto a profundidade do pai-nosso. Apesar de muito conhecida, nem todos prestam atenção ao que essa oração diz. Às vezes, os textos mais decorados são os menos compreendidos. O pai-nosso começa ensinando-nos sobre nossa filiação: somos filhos de Deus. Jesus nos desafia a ter um novo olhar para o Senhor. Não apenas como o Criador de todos os homens, mas como Pai.

Agora, como filhos, somos desafiados a ter um novo anseio: a "santificação do nome do Pai". O Mestre nos aponta qual deve ser o objetivo de nossa existência: revelar a toda a humanidade, por meio de nossa vida, quão santo é o nome de Deus. Como fazer isso? O restante do pai-nosso se propõe a responder a essa pergunta. Ele nos ensina a santificar o nome do nosso Pai de cinco maneiras: 1) desejando ardentemente que seu reino venha; 2) fazendo a vontade desse ser Criador, que está nos céus, embora ainda estejamos na terra; 3) contentando-nos com o pão de hoje e dividindo a abundância que o Senhor nos dá, para ajudar o próximo em sua escassez; 4) perdoando nosso irmão com o perdão que recebemos de Deus; 5) afastando-nos de tudo que não diz respeito ao Pai e a seu reino.

Trata-se de uma oração poderosa, com muitos temas da vida cristã. Porém, vamos nos concentrar no tema central do ministério de Jesus: "Venha o teu Reino". Ele ensina seus seguidores a clamar pela vinda do reino de Deus.

Percebo que, por vezes, a temática central de nossa vida é "ir para o céu". Vemos cristãos extremamente preocupados com sua entrada no paraíso. E isso é importante, pois a Bíblia fala sobre um lugar para onde iremos após a morte. Enquanto estava pendurado na cruz, Jesus olhou para o lado e declarou para um dos ladrões executados com ele: "Eu lhe garanto: Hoje você estará comigo no paraíso" (Lc 23.43). Esse versículo nos enche de esperança. Porém, a ênfase principal da Bíblia não é a ida para o céu. A mais importante mensagem das Escrituras, de Gênesis a Apocalipse, é a descida do céu à terra.

A Bíblia começa com o céu na terra, em um jardim, e termina com o céu na terra, em uma cidade, a nova Jerusalém. Mais que nos levar para o céu, Deus quer que o céu invada a terra. Essa é a realidade de toda a sua Palavra. Em Gênesis, a história começa com um jardim chamado Éden, onde o céu e a terra funcionavam juntos no mesmo lugar. Deus (ser celestial) caminhava com Adão (ser terreno). O Senhor começou a criação e permitiu que o homem administrasse e gerenciasse tudo.

Porém, Adão pecou, e nós com ele, fazendo que o céu, um lugar perfeito, não pudesse mais coexistir com a uma realidade imperfeita. O que é santo teve de se separar da terra, que agora estava cheia de pecado. Mas o desejo de Deus era que o reino dos céus viesse à terra. Ele ainda quer habitar entre nós. Por isso, escolheu a família de um homem, que cresceria e abençoaria todas as famílias da terra. Deus fez uma aliança com Abraão e prometeu trazer o reino dele por intermédio de sua família.

Ainda em Gênesis, o Senhor escolheu Jacó, neto de Abraão, que mais tarde seria chamado Israel, para gerar a nação que traria seu reino para todas as nações da terra. Os filhos de Jacó cresceram e se multiplicaram no meio de outro povo, o egípcio, até o dia em que Deus decidiu tirá-los de onde estavam e levá-los para o deserto. Em Êxodo, Deus mandou seu servo Moisés, líder da peregrinação, construir um tabernáculo, grande tenda que representaria a presença divina no meio de seu povo. Era um pedaço do céu habitando em uma área da terra. Depois, Josué foi escolhido para liderar o povo a invadir o território que Deus lhes dera. Uma vez em Canaã, o povo escolheu ser liderado por um rei, como eram as outras nações. O Senhor atendeu ao pedido deles e estabeleceu Saul como rei. Contudo, Saul não foi um rei temente a Deus, que, diante disso, escolheu um pastor de ovelhas para conduzir sua nação, Davi.

Quando Davi se tornou rei, ele tinha um grande anseio: erigir um templo para Deus, uma exuberante construção que representaria o céu na terra. Apesar da boa vontade de Davi, foi seu filho Salomão quem construiu o primeiro templo, em Jerusalém. Anos depois, a cidade foi invadida pelos babilônios e o templo foi destruído. Os livros que relatam o que veio em seguida têm uma temática em comum: "reconstruam o templo"; em outras palavras, restabeleçam aquilo que representa o reino de Deus na terra.

Até que, finalmente, setecentos anos depois, "Aquele que é a Palavra tornou-se carne e viveu entre nós" (Jo 1.14). Era o próprio Deus vivendo no meio de seu povo. O verbo "viveu" significa, no grego em que originariamente o texto foi escrito, "armar tabernáculo" ou "tabernacular". Ou seja, Jesus Cristo era um tabernáculo ambulante, ele era o céu na terra.

É por isso que sua mensagem era "arrependam-se, pois o reino de Deus chegou". Seus milagres eram uma forma de demonstrar a chegada do reino. Ele se aproximava dos cegos e alinhava a realidade deles com a do céu, e, como na dimensão celestial não há cegos, todos eram curados. O mesmo acontecia com paralíticos, surdos e endemoniados.

Era o reino de Deus iniciando a invasão da terra.

## Vão

Para sermos cópias de Jesus, precisamos ter a mente dele. Isso significa desejar o que ele deseja e lutar pelo que ele luta. O impedimento que nos privava de ir para o céu já foi resolvido por Cristo na cruz do Calvário. A salvação não é uma questão de obras, mas de crer na morte e ressurreição de Jesus. A pergunta é: depois de crermos, o que faremos pelo restante de nossa vida aqui?

A partir do momento em que fomos justificados, não lutamos mais para entrar no céu; nossa batalha agora é fazer o céu entrar na terra. É fazer a oração de Jesus se tornar realidade: "Venha o teu Reino; seja feita a tua vontade, assim na terra como no céu". Somos chamados para usar dons, habilidades, recursos e forças para espalhar a cultura do reino de Deus a todas as nações.

Creio que existe uma mentalidade egoísta disseminada na Igreja. Estamos focados em entrar no paraíso, ignorando tudo o que está acontecendo ao redor. Os noticiários e *sites* jornalísticos dizem que a educação está cada vez pior, a criminalidade aumenta a cada dia, a mídia está cada vez mais promíscua, o governo segue mais corrupto do que nunca, e outras questões semelhantes. E qual é a nossa resposta para tudo isso? "Tranquilo. Não somos deste mundo, em breve iremos para o céu. Então, vamos nos trancar dentro da igreja e orar para Jesus voltar". Essa mentalidade não combina com a oração que Jesus nos ensinou: "Venha o teu Reino". Essa forma de pensar não se alinha à oração de Cristo pelos discípulos: "Não rogo que os tires do mundo, mas que os protejas do Maligno" (Jo 17.15).

Você já se perguntou por que não nasceu em 1815, no reino da Espanha, como filho de um camponês? Ou em 2200, no Japão, como filho de um engenheiro de carros voadores? Existe um motivo para você estar vivo hoje, nesta geração, nesta nação, na cidade onde está. Existe um propósito em sua aparência, gosto musical, habilidades, dons e posição social que ocupa. Deus quer usá-lo para levar o reino dele a um público específico.

Viver o ministério não é apenas ser pastor, missionário ou profeta. Viver o ministério é também ser um médico cheio do Espírito Santo, um alfaiate que representa Jesus, um atleta que o divulga ou uma cozinheira que o exalta. Deus quer levantar advogados, publicitários, skatistas, escritores, músicos, artistas plásticos, cabeleireiras; enfim, pessoas de todo tipo, gente que vive para fazer a vontade de Deus prevalecer na terra como no céu.

Quando Jesus ressuscitou, passou alguns dias encontrando-se com os discípulos e dando-lhes as últimas instruções. Em seu último encontro, ele estava no monte com seus seguidores. "Então, Jesus aproximou-se deles e disse: 'Foi-me dada toda a autoridade nos céus e na terra. Portanto, vão e façam discípulos de todas as nações, batizando-os em nome do Pai e do Filho e do Espírito Santo, ensinando-os a obedecer a tudo o que eu lhes ordenei. E eu estarei sempre com vocês, até o fim dos tempos'" (Mt 28.18-20).

Jesus passou três anos andando com um grupo de homens e treinando-os para iniciarem uma revolução mundial. Ele queria mudar a história e confiou no grupo. Aqueles indivíduos tinham a certeza de que ele era o Messias, o tão aguardado Salvador que se assentaria no trono de Davi e governaria tudo e todos. Porém, para surpresa deles, o Salvador morreu. Na verdade, ele entregou a própria vida, não lutou para escapar nem deixou que seus seguidores o defendessem. Imagine o desânimo que os acometeu. A frustração deve ter sido devastadora. Alguns provavelmente pensaram: "Jogamos três anos de nossa vida no lixo. O sonho acabou". Mas o que eles não esperavam era que o Mestre voltaria dos mortos! Jesus ressuscitou e caminhou entre eles com o corpo glorificado. O homem que tinham visto ser crucificado e posto no túmulo estava bem na frente deles. Aquele carpinteiro, que era mais forte que a morte e tinha toda a autoridade no céu e na terra, reservava-lhes uma última instrução. Creio que as palavras de Jesus naquele monte devem ser consideradas prioridade máxima para seus seguidores.

Repare que Jesus havia começado a invasão e a retomada da terra para o Pai, mas haveria muito a ser feito até que Deus viesse com um exército para pôr fim a tudo. Por isso, o Filho disse: "vão". Obedecer a essa instrução requer movimento. É necessário sair de onde estamos. Creio que Jesus sabia da tendência natural de seus seguidores de se fechar em si. Por isso, o "vão" de Jesus nos desafia a sair da zona de conforto. É um chamado para deixarmos o conhecido e aceitar a difícil tarefa de ir ao encontro daqueles que são diferentes de nós e não conhecem o reino de Deus.

A igreja deve funcionar como quartel-general, onde treinamos, recebemos instruções do general, confortamos, motivamos uns aos outros e curamos os soldados feridos. Porém, nosso lugar de atuação não é lá dentro. Nosso campo de batalha é o mundo. "Vocês são a luz do *mundo*" (Mt 5.14). "Vocês são o sal da *terra*" (v. 13). O que Jesus estava dizendo para seus discípulos em sua última ordem era: "Chegou a hora de vocês, soldados, *irem* para a guerra. *Vão* e ponham em prática tudo o que lhes ensinei". O que você acha de um soldado que passou anos dentro de um centro de treinamento, estudando, praticando e sendo preparado e, quando sua pátria precisa dele para lutar em uma guerra, ele se recusa a ir? Faz sentido? Talvez a primeira pergunta que lhe faríamos fosse: "Por que você se alistou?" ou "Para que tanto treino e estudo?".

Acredito que é exatamente assim que Deus vê um cristão que não obedece ao "vão". Para que você se alistou? De que adianta tanto estudo se, quando o reino de Deus precisa de você para lutar em uma guerra, você decide ficar escondido no centro de treinamento, a igreja? O "vão" sempre foi um desafio para mim. Cresci em um ambiente cristão. Minha família sempre foi evangélica, meus avós foram pastores de uma igreja local e meus pais são pastores. As famílias com as quais meus pais se relacionavam sempre foram famílias da igreja. Estudei em uma escola cristã e cresci cercado de pessoas que serviam Jesus.

Atualmente, minha rotina consiste em acordar ao lado de uma crente em Jesus, ir trabalhar com um grupo de crentes, voltar para casa a fim de almoçar, levar dois crentinhos para a escola e, à noite, ir para a reunião da igreja encontrar meus amigos — crentes. Estar cercado de pessoas que conhecem Jesus é muito importante; porém, para cumprir a Grande Comissão, temos de sair de nossa "bolha cristã". Precisamos deixar o conforto de estar sempre com pessoas que concordam com o que cremos, que falam nossa língua e compartilham da cultura do reino de Deus.

Lembre-se de que a luz só tem efeito quando está nas trevas. Fomos chamados para ir aos lugares escuros da terra, a fim de brilhar a luz de Cristo que existe em nós! Existem muitos lugares em trevas — como postos de saúde, tribunais, escolas, pistas de *skate*, creches, asilos, hospitais e campos de futebol — clamando pela *luz do mundo*, clamando pelo reino dos céus. Você está disposto a obedecer ao "vão"?

## Façam discípulos

A segunda ordem da Grande Comissão é "façam discípulos", ou "recrutem soldados". Quando aceitamos o desafio de sair de nosso conforto e ir até o meio das trevas, lá encontraremos *pessoas*. A palavra que melhor descreve a segunda parte da ordem de Jesus é *relacionamento*. O Mestre nos desafia a não apenas ir para os que são diferentes de nós, mas a nos relacionar com eles. Sim, nos tornar amigos deles. Jesus se relacionou com seus doze discípulos. Eles andavam juntos por toda parte, comiam no mesmo lugar, compartilhavam da mesma casa, eram amigos.

Acredito que as muitas formas utilizadas pelos cristãos para evangelizar (teatro, cruzadas evangelísticas, entrega de panfletos...) têm grande valor. Entretanto, nenhuma dessas estratégias cumpre a Grande Comissão, pois fazer discípulos só é possível com *relacionamento*. É preciso amar as pessoas e se importar com elas e seus problemas. Precisamos investir tempo para desenvolver um relacionamento sólido com aqueles que desejamos que se tornem cidadãos e soldados do reino de Deus.

Uma das muitas críticas dos religiosos da época de Jesus era o fato de ele se relacionar com os "pecadores". "Mas os fariseus e os mestres da lei o criticavam: 'Este homem recebe pecadores e come com eles'" (Lc 15.2). Para entender a indignação dos fariseus e dos mestres da lei, temos de ter em mente que hoje o ato de comer com alguém não tem o mesmo significado que tinha naquela época. Sentar-se à mesa de uma pessoa ou convidá-la para sentar-se à sua era sinal de *relacionamento*.

O pastor Judah Smith escreveu:

> À vista de todos, Jesus andava com os equivalentes hoje a cafetões, prostitutas e viciados. Naquela cultura, comer com uma pessoa significava identificar-se com ela. Jesus se associou a indivíduos evitados por todo cidadão de bem da Judeia. Eram motivo de piadas e alvo de zombarias. Ninguém que se prezasse

correria o risco de fazer amizade com tais pessoas, por medo de ser considerado culpado de associação.[2]

Quando caminhou por este mundo, Deus decidiu gastar seus almoços e jantares com aqueles que estavam em trevas, com homens e mulheres totalmente opostos a ele. O homem mais santo que já existiu sentava-se à mesa de pessoas malvistas pela religião. O Rei decidiu que esses homens e mulheres trevosos precisavam receber o anúncio do reino de Deus.

Porém, existe um desafio nesse processo de nos relacionarmos com pessoas que ainda não conhecem Jesus: fazer isso sem nos contaminarmos. Estar com eles sem nos tornarmos como eles. O exemplo perfeito é o sal. "Vocês são o sal da terra" (Mt 5.13). Você pode deixar o sal durante dias junto a outro alimento e ele não pegará o gosto desse alimento; contudo, o alimento que ficar em contato com o sal ficará mais salgado. Você foi chamado a mudar os ambientes em que chegar, mas sem permitir que eles alterem quem você é. Você sempre será sal. Não importa o tipo de pessoa que passará horas ao seu lado, você não será influenciado por ela, mas ela precisa sair mais "salgada" desse encontro.

Se quisermos participar da revolução que Jesus iniciou, teremos de nos relacionar com as pessoas. Mas... quais pessoas? "Façam discípulos de todas as nações..." Ou seja, temos de alcançar todo tipo de gente, de todo lugar, e nos relacionar com ele. Gosto de pensar em nações de uma forma ampla, não apenas povos de determinadas localidades, mas grupos de pessoas.

Por exemplo, os médicos são uma "nação", um grupo de pessoas. Eles têm jargões linguísticos próprios, vestimenta

---

[2] Judah Smith, *Jesus é* (São Paulo: Mundo Cristão, 2015), p. 37.

individualizada, preferências específicas e outros aspectos característicos. Assim como os pilotos de avião são outra "nação", com toda a sua cultura. Nós fomos chamados para alcançar todo e qualquer indivíduo.

Qual é a sua nação? Você já parou para pensar para qual grupo Deus o enviou? Sobre esse questionamento, deixe-me fazer um paralelo: imagine que meus filhos vão viajar; Luísa para o Alasca e Davi para o Rio de Janeiro. O que eu colocaria na mala de cada um? Na bagagem daquela que vai para o lugar frio, haveria casacos, jaquetas, cachecol e luvas, por exemplo. Já na de Davi, haveria sunga, protetor solar e chinelos. Os dois teriam na mala o necessário para estar em seus respectivos destinos. Se quiser descobrir para qual nação (grupo de pessoas) você foi chamado por Deus, olhe para sua mala. O que tem dentro? Ou seja, quais dons, habilidades, gostos e oportunidades o Senhor lhe concedeu para essa viagem na terra? O que Deus colocou em sua bagagem revela para onde você deve ir.

Mas cuidado! Não tente ir para onde você não foi chamado. Não queira fazer o que Deus não mandou, nem atuar naquilo que ele não determinou. Seria agir como alguém que leva apenas sunga e chinelo ao Alasca — o resultado seria catastrófico. Olhe para sua mala e descubra a sua nação.

### Batizem

Depois de alcançar o grupo de pessoas para o qual Deus nos preparou, e então amá-las e nos relacionar com elas, qual deve ser o próximo passo? A terceira parte de nossa missão é *batizar*. Se fazer discípulos diz respeito a um relacionamento pessoal com indivíduos, batizar diz respeito a *integrá-los*.

Você já assistiu a algum filme que retrata a história de uma gangue? Em muitos deles vemos cenas de um rapaz que deseja entrar para o grupo, mas, antes, precisa passar por algum ritual. Em determinados enredos, esse moço tem de fazer uma tatuagem, roubar algo ou sofrer algum tipo de dor para provar que faz parte do grupo. O batismo é o ritual para entrar na "gangue" de Jesus. Ao ser submersa na água, a pessoa declara que foi enterrada com Cristo e, ao emergir, declara que ressuscitou com ele. A partir daquele momento, ela é uma nova criatura — faz parte da família.

A revolução começa quando *vamos* para o meio das trevas, nos *relacionamos* com as pessoas que estão lá e as *integramos* à família de Deus. Quando aquele discípulo sai da água do batismo, ele faz parte de nosso grupo, e nada nos separará. É por isso que Paulo afirma: "Pois em um só corpo todos nós fomos *batizados* em um único Espírito" (1Co 12.13).

O batismo integra a pessoa no Corpo de Cristo. Depois desse ritual de iniciação, precisamos fazer esse irmão se sentir parte do Corpo. O desejo do Pai é que ele seja mais um filho na família; a intenção de Jesus é que ele seja um membro de seu corpo; e a vontade do Espírito Santo é que ele seja uma pedra viva em seu templo.

Um dos principais motivos de as pessoas não permanecerem em uma igreja é não se sentirem parte da família. O pastor Abe Huber desenvolveu uma curiosa analogia para explicar isso: ele compara os cristãos a batatas. Ele diz que muitas igrejas parecem um saco de batatas, onde todos os crentes em Jesus estão juntos, porém não vivem em unidade, pois unidade significa ser *um*. Uma igreja que vive em unidade deixa de ser um saco de batatas e se torna um purê, ou seja, seus membros vivem tão integrados que já não é mais possível separá-los. Pastor Abe conta que, em uma célula da igreja que ele pastoreia, uma senhora procurou o líder do grupo e lhe informou que estava com câncer, ao que o líder disse para todos da célula: "Irmãos, precisamos orar, pois nós estamos com câncer". Isso é unidade! É chorar com os que choram e se alegrar com os que se alegram, pois fomos batizados em um só corpo, uma só família, um só templo e agora somos *um*.

## Ensinem a obedecer

Vimos que a vontade de Deus é que *vamos* às pessoas, depois nos *relacionemos* com elas, em seguida as *integremos* na família para, então, lhes *ensinarmos* como obedecer aos mandamentos de Jesus. A inversão desse processo tem feito as igrejas perderem muita gente. Com frequência, vejo líderes tentando ensinar os mandamentos para pessoas com as quais eles não têm um relacionamento e que ainda não se sentem parte da família. Começar pelos mandamentos nos faz parecer uma religião que está mais preocupada com leis do que com pessoas.

A quarta parte do desafio para nos tornarmos cópias de Jesus no que se refere à Grande Comissão determina: "... ensinando-os a obedecer a tudo o que eu lhes ordenei" (Mt 28.20), isto é, implantar a cultura do reino de Deus no coração dos novos discípulos.

No quarto de minha filha, Luísa, há uma parede que chamamos de *cantinho das regras*, na qual fixamos seis figuras que representam as leis a que ela e seu irmão precisam obedecer: não brigar com o irmão, comer toda a comida, emprestar os brinquedos, obedecer ao pai e à mãe, ir para a escola todos os dias e tratar e cuidar bem do Bolt (nosso cachorrinho de estimação). Sempre que eles erram, pedimos para mostrar o que fizeram de errado e, então, são punidos, tendo de ficar alguns minutos pensando, em silêncio. Não importa a bronca que eu dê neles, depois de alguns minutos eles estarão abraçando minhas pernas e dizendo: "Perdão, pai!". Por que eles não fogem de mim depois da bronca? Por dois motivos: eu tenho um relacionamento profundo com eles, e eles são parte da família.

Imagine, agora, que eu receba uma visita acompanhada de seu filho de 5 anos. Depois de um tempo brincando, o garoto briga com meus filhos, eu o pego, levo até o quarto, mostro as regras e o deixo de castigo por alguns minutos. Esse menino e seus pais desejariam vir novamente à minha casa? Estou certo de que não, por dois motivos: eu não tenho um relacionamento profundo com eles e eles não são parte da família. É importante que o "ensinar a obedecer aos mandamentos" seja introduzido no tempo certo.

Essa última parte do plano é conhecida em nossas instituições como *discipulado*. Porém, não podemos confundir: discipular não é ensinar os mandamentos a alguém; é muito mais que isso. Jesus não nos manda ensinar os mandamentos às pessoas; ele nos ordena a ensiná-las a *obedecer* aos seus mandamentos. Portanto, esse processo consiste não apenas em dar aula teórica sobre as palavras de Cristo, mas demonstrar ao aluno *como* obedecer a essas teorias. É por isso que discipulado não pode se prender a um livro, a uma apostila ou a um programa. Na verdade, é uma transferência de vida.

Para ensinar alguém a obedecer às ordens de Jesus, não basta falar sobre elas; é preciso cumpri-las. Nossos discípulos precisam olhar para nós e aprender que é possível e vale a pena obedecer ao Mestre. Se, ao flagrar meus filhos gritando um com o outro, eu aumentar minha voz para advertir "É proibido gritar aqui em casa", eles entenderão que eu digo ser proibido gritar, mas ajo como quem permite gritar. Para discipular, nossa vida tem de estar alinhada ao nosso discurso. Temos de poder dizer, como Paulo: "Pode me imitar, pois eu imito a Cristo".

Devemos passar para os novos discípulos de Jesus cada uma das ordens que ele nos deixou sobre atitudes como perdão, amor, mansidão, humildade, santidade, coragem e tudo mais. A revolução começa quando fazemos discípulos, que fazem discípulos, que fazem discípulos, que também fazem discípulos. E é no um a um que o mundo inteiro conhecerá Jesus Cristo e que, por meio da cruz, saberá que podemos ser como ele é.

Em outras palavras, as pessoas saberão que é possível ser uma cópia de Jesus.

# 7

# BEM-SUCEDIDOS

Em 1954, na Irlanda, o escritor sul-africano Hugh Beaver, presidente da famosa cervejaria Guinness, tentava caçar, sem sucesso, um pássaro chamado tarambola. Frustrado, ele não acertava nenhum tiro. No início de certa noite, Hugh encontrou-se com amigos e afirmou não ter conseguido caçar nenhuma tarambola pelo fato de aquele ser o pássaro mais rápido do mundo. Os amigos discordaram dele. Depois de alguns minutos de discussão, ninguém chegou a um consenso, pois, na época, não havia nenhum livro que oferecesse tal informação e em que pudessem confirmar qual seria a ave mais rápida do planeta.

Naquela noite, Hugh foi embora com uma ideia fixa: criar um livro em que todos os tipos de recordes seriam registrados. Depois de quatro meses, ele e os gêmeos Norris e Ross McWhirter conseguiram executar o audacioso plano e lançaram o livro *Guinness* dos recordes. Após quatro meses, o livro alcançou a marca de obra de não ficção mais vendida da Inglaterra.

O *Guinness* já vendeu cem milhões de cópias desde sua primeira edição e é o décimo livro mais vendido da história.

Por que esse livro é tão procurado? Acredito que seja porque o ser humano é atraído pelo sucesso, o que nos faz querer saber quem são os mais bem-sucedidos em todas as áreas. O *Guinness* reúne as pessoas mais bem-sucedidas aos olhos humanos, os homens e as mulheres que mais se destacam em nosso mundo, como Michael Jordan, Pelé e Michael Jackson, entre outros.

Já pensou em como seria um livro *Guinness* organizado por Deus? O que representa sucesso aos olhos do Criador? Quem são os homens e as mulheres que se destacam no reino de Deus? Nos dicionários, sucesso é definido como "resultado feliz". Com essa definição em mente, poderíamos dizer que sucesso é obter resultados que proporcionem felicidade. É de extrema importância saber o que é sucesso, pois o que norteia a maior parte de nossas escolhas é exatamente a busca pela felicidade.

O conceito sobre o que é uma pessoa feliz, ou bem-sucedida, pode alterar completamente nossas decisões, das mais simples, como qual tênis comprar, às mais complexas, como qual faculdade cursar. Se nosso conceito de felicidade está ligado a finanças, faremos escolhas que nos possibilitem ter mais dinheiro; contudo, se nossa ideia de sucesso está ligada a popularidade, nos movimentaremos para divulgar nosso nome e preservar nossa imagem. Quando temos esse conceito bem definido, encontramos, então, um ícone, isto é, uma pessoa com características que se encaixam em nossa definição de sucesso.

Por exemplo, quando uma jovem entende que sucesso é ter o corpo perfeito, ela passa a admirar todas as modelos que conseguem, com dietas e exercícios físicos, manter um corpo bem delineado. Ela acompanha as fotos que as modelos postam, assiste a seus depoimentos nos *sites* de vídeos, lê seus relatos nos *blogs* e acompanha notícias sobre a vida pessoal delas. Essa jovem começa a se vestir igual às modelos que admira, comer o que elas comem e frequentar academias, pois tudo o que ela mais deseja é igualar-se a seus ícones de sucesso.

Não tenho dúvida de que você admira as características de Jesus, como humildade e desapego do mundo. Assim como você, muitos admiram Jesus; mas são poucos os que desejam ser iguais a ele. Todos aplaudem a humildade de Cristo, mas não põem o interesse do próximo na frente dos seus; exaltam o desapego do Mestre, mas não querem imitá-lo, desfazendo-se dos bens materiais. E por aí vai. Isso acontece porque, em seu coração, muitos cristãos ainda não permitiram que Deus redefinisse o significado de sucesso. Eles ainda continuam com definições mundanas de felicidade e, por isso, mesmo dentro da igreja, continuam desejando ser iguais a ícones deste mundo.

Pare e pense por um minuto: quem é seu maior ícone de sucesso? A quem você deseja ser igual?

Certo dia, Jesus subiu em um monte e seus discípulos se aproximaram. Ele começou, então, a ensinar-lhes. Esses ensinamentos formam uma das porções mais importantes da Palavra de Deus, o Sermão do Monte (Mt 5—7). O primeiro objetivo de Jesus nesse sermão foi redefinir o que significava *sucesso* no entendimento de seus seguidores.

O Mestre listou, então, oito características de uma pessoa bem-sucedida aos olhos de Deus, as chamadas bem-aventuranças. Ele começa cada uma dizendo: “Bem-aventurado...”, o que significa “Feliz...”. Eu gostaria de usar liberdade poética e chamar os objetos dessas menções de "Bem-sucedido...". Dessa forma, podemos dizer que as oito características apontadas por Cristo definem ícones de sucesso aos olhos de Deus, embora não aos olhos deste mundo. Vamos analisar cada uma delas.

## Bem-sucedidos são dependentes de Deus

Jesus iniciou as bem-aventuranças com a seguinte afirmação: "Bem-aventurados os *pobres em espírito*, pois deles é o Reino dos céus" (Mt 5.3). A palavra no original grego que foi traduzida em português por "pobre" é *ptochos*, definida como "reduzido à mendicância", "que pede esmola". A figura que Jesus constrói na mente de seus ouvintes é a de um mendigo, no chão, implorando por esmolas, alguém totalmente dependente da misericórdia daqueles que cruzam seu caminho.

Como é possível que essa seja a característica de alguém bem-sucedido? Como um pobre em espírito pode encabeçar a lista de sucesso do reino de Deus? O que aprendemos andando com Jesus e observando os apóstolos é que, ao contrário do que este mundo entende como verdadeiro, quanto mais crescemos espiritualmente, mais dependentes de Deus nos reconhecemos. Em seu livro *Dez coisas que eu gostaria que Jesus nunca tivesse dito*, o teólogo Victor Kuligin afirma:

> Quanto mais você andar com Jesus, mais deveria perceber que é um ser caído, com uma conscientização cada vez maior de seus pecados. Esta é a experiência universal dos grandes santos da cristandade. Quando chegam no final da vida, eles não estão tecendo elogios à própria santificação, animando-se com palavras de encorajamento e proclamando quão santos são. Pelo

contrário, são pessoas submissas e contritas que choram amargamente o estado caído de sua natureza humana.[1]

Quanto mais perto você está de Jesus, mais suas imperfeições aparecem, pois a luz revela a sujeira. Martinho Lutero se descrevia com frequência como um "pecador fedorento". De igual modo, quanto mais olhamos para a perfeição de Cristo, mais nossa natureza caída se torna evidente.

No dia a dia, o crescimento é evidenciado pela independência que conquistamos. Quanto maiores ficamos, menos precisamos de nossos pais para nos ajudar. Um bebê é totalmente dependente de sua mãe; sem ela, ele morreria. Conforme vai crescendo, passa a ter a capacidade de fazer as atividades sozinho. Porém, não é assim que funciona o crescimento no mundo espiritual; pelo contrário: quanto maiores somos, mais dependentes do Pai nos entendemos.

Isso fica muito explícito na vida de Paulo. É possível observar o crescimento do apóstolo pela maneira como ele se enxergava: "Pois sou o menor dos apóstolos e nem sequer mereço ser chamado apóstolo, porque persegui a igreja de Deus" (1Co 15.9). A primeira carta aos Coríntios foi escrita por volta do ano 54, quando Paulo iniciava seu ministério com os gentios. Eram chamados de apóstolos os homens que Jesus escolheu para iniciar a invasão da terra e a instauração do reino de Deus. Desse seleto grupo, Paulo compreendia que ele era o menor, ou seja, o que mais dependia do Pai — de todos, ele se via como o mais pobre em espírito.

Prosseguindo em seu ministério, Paulo continuou a escrever cartas para igrejas distintas. Por volta do ano 60, enviou

---

[1] (Rio de Janeiro: CPAD, 2008), p. 17.

uma à igreja de Éfeso, na qual se descreve como "o menor dos menores de todos os santos" (Ef 3.8). O crescimento de Paulo o fez entender que ele não era apenas o menor dos apóstolos, mas o menor dos santos. Ou seja, de todos os homens e mulheres que criam em Jesus, o apóstolo se considerava o mais dependente de Deus, o maior pecador entre todos os crentes.

Mas Paulo não parou de progredir espiritualmente. Por volta do ano 67, ele redigiu uma nova carta, dessa vez para um discípulo. No ápice de sua maturidade cristã, Paulo escreveu para Timóteo, seu filho na fé. "Esta afirmação é fiel e digna de toda aceitação: Cristo Jesus veio ao mundo para salvar os pecadores, *dos quais eu sou o pior*" (1Tm 1.15). Um dos maiores cristãos que já existiram, autor de grande parte do Novo Testamento, homem em quem Deus confiou para propagar o evangelho entre os gentios, Paulo terminou a vida intitulando-se o pior pecador do mundo.

Sucesso, aos olhos de Deus, é entender que somos completa e desesperadamente dependentes da graça salvadora do Pai.

## Bem-sucedidos são chorosos

Jesus prosseguiu no Sermão do Monte e disse: "Bem-aventurados os que *choram*, pois serão consolados" (Mt 5.4). Os momentos mais emocionantes da minha vida foram o nascimento de meus filhos, Luísa e Davi. Estive presente nos dois partos, e não há como descrever o que senti quando vi aqueles rostinhos pela primeira vez. Assim que a criança sai do ventre materno, uma tensão se instala no ambiente. Pais, médicos e enfermeiros ficam aguardando o tão esperado som de choro. Não existe nenhuma outra ocasião em que o choro seja um som tão agradável aos ouvidos como no nascimento.

Porém, enquanto os pais desfrutam do momento mais feliz da vida deles, aquele bebê está vivendo o período mais traumático de sua curta existência. O mundo ao redor é tão estranho que ele não tem outra forma de expressar, a não ser chorando! É essa imagem que Jesus usa para explicar para um fariseu curioso, chamado Nicodemos, o que é a experiência de ver o reino de Deus. Ele lhe disse: "Digo-lhe a verdade: Ninguém pode ver o Reino de Deus, se não nascer de novo" (Jo 3.3).

Cristo usa uma experiência cheia de dores para descrever o que é se tornar cidadão do reino de Deus. Nascer de novo dói, é desconfortável e traumático, nos faz chorar. Engana-se aquele que pensa que não haverá sofrimento no caminho do reino de Deus. Jesus nos alertou: "Neste mundo vocês terão aflições; contudo, tenham ânimo! Eu venci o mundo" (Jo 16.33). Paulo, escrevendo aos romanos, revela que a natureza geme como em dores de parto (cf. Rm 8.22), os crentes em Jesus gemem aguardando a redenção do corpo, e o Espírito Santo geme de modo inexprimível, intercedendo por nós.

Aos olhos de Deus, enquanto estamos neste mundo, sucesso é chorar. Um choro que tem muitas causas, como nossa condição de pecadores, a sociedade impiedosa em que vivemos, a pobreza, as crianças abusadas, as mulheres tratadas como objetos sexuais, os governantes corruptos e todo o resultado de um povo que decidiu ignorar a glória de Deus.

Quando sua mente é iluminada pelo conhecimento da verdade divina, seu pecado, a injustiça e todas as obras das trevas se tornam agressivas a você. Passamos a odiar o que o Santo odeia. É por isso que os seguidores de Cristo clamam: "Venha o teu Reino; seja feita a tua vontade, assim na terra como no céu" (Mt 6.10).

Ser bem-sucedido, aos olhos do Pai, é chorar, sofrer e gemer, mas com uma certeza: seremos consolados. É olhar ao redor e não conseguir conter as lágrimas motivadas pelo que se vê, mas também é poder olhar para cima e não conseguir conter os sorrisos por saber o que está por vir.

## Bem-sucedidos são bonitos no interior

Prosseguindo em sua mensagem, Jesus enunciou a terceira bem-aventurança: "Bem-aventurados os *humildes*, pois eles receberão a terra por herança" (Mt 5.5). Uma forma eficaz de estudar um versículo da Bíblia é encontrando outros versículos que utilizam a mesma palavra no original e, então, comparar suas aplicações. A palavra "manso", no original grego, é *praus*, que quer dizer "gentileza", "bondade de espírito" e "humildade".

Outro escritor que usa a palavra *praus* é Pedro, em suas epístolas. Ao dar uma orientação às mulheres, veja como ele utiliza o adjetivo: "A beleza de vocês não deve estar nos enfeites exteriores, como cabelos trançados e joias de ouro ou roupas finas. Ao contrário, esteja no ser interior, que não perece, beleza demonstrada num espírito *dócil e tranquilo*, o que é de grande valor para Deus" (1Pe 3.3-4). A orientação às mulheres é que a beleza feminina seja demonstrada por uma postura de docilidade e tranquilidade, isto é, mansidão (*praus*), e não por adornos e roupas externos.

Ser bem-sucedido, aos olhos do Rei, é ser bonito por dentro.

Nossa sociedade prega o culto à casca. Todo ano, a indústria da beleza movimenta bilhões de reais. A demanda dos cirurgiões plásticos cresce exponencialmente. Legiões de mulheres afinam o nariz, engrossam os lábios, esticam a pele e colocam próteses, pois muitas pessoas acreditam que ter um rosto formoso alegrará seu coração. O que não sabem é que "o coração alegre aformoseia o rosto" (Pv 15.13, RA).

A Bíblia nos conta que Deus, tendo rejeitado Saul, instruiu o profeta Samuel a que fosse à casa de um homem chamado Jessé, a fim de ungir um novo rei para Israel. O profeta foi, então, até o local indicado. Ao chegar lá, avistou Eliabe, um dos filhos de Jessé. Logo que o viu, pensou: "Com certeza é este que o SENHOR quer ungir" (1Sm 16.6). Samuel, um dos maiores profetas que existiram, deixou-se levar pela aparência de Eliabe. Talvez porque este tinha porte de guerreiro, ou por aparentar ser um líder entre os irmãos. Uma coisa é certa: Eliabe tinha a "casca" de um rei de sucesso. Mas, para surpresa de Samuel, Deus não tinha a mesma opinião que o profeta. O Senhor lhe disse: "Não considere sua aparência nem sua altura, pois eu o rejeitei. O SENHOR não vê como o homem: o homem vê a aparência, mas o SENHOR vê o coração" (1Sm 16.7).

Que revelação! Deus nos enxerga por dentro. O Senhor não vê a aparência, mas o coração. Ele não está preocupado com a roupa que usamos, mas com a intenção do coração ao vestir aquela roupa. Porte físico não o impressiona, beleza estética não chama sua atenção. O que o atrai são corações.

Eliabe era aceito por aquela sociedade, porém foi rejeitado por Deus. Ele era um sucesso aos olhos humanos, mas um fracasso aos olhos divinos. Um campeão na terra, mas um perdedor nos céus. Nós temos de decidir onde queremos ter sucesso: na terra ou nos céus.

Um dos pastores da igreja em que congrego me contou que, na época da Páscoa, em sua cidade natal, alguns vendedores ambulantes montavam suas barracas na frente do supermercado para vender ovos de chocolate. Muitos pais compravam, pois a diferença era gritante em relação aos preços do mercado. Era exatamente o mesmo ovo, da mesma marca, porém mais barato — parecia um negócio muito bom. Os pais levavam os ovos para casa e guardavam, pois queriam fazer uma surpresa aos filhos no dia da Páscoa. Quando chegava o grande momento, todas as crianças estavam ansiosas para comer o chocolate. Pegavam seus ovos das mãos de seus pais e logo corriam para abrir. Mas, quando rasgavam a embalagem, o susto que revelava o golpe: não havia nenhum chocolate. Eram abacates. Imagine a frustração daquelas crianças.

Vivemos em uma sociedade assim. Lindas embalagens estão por toda parte, mas seu conteúdo é frustrante. Sucesso não é estar embrulhado por roupas de marca, mas sim ter um conteúdo que agrade a Deus, pois pessoas bem-sucedidas são bonitas por dentro.

## Bem-sucedidos são íntegros

"Bem-aventurados os que têm fome e sede de justiça, pois serão satisfeitos" (Mt 5.6), continuou o Senhor. Sucesso, aos olhos de Deus, é querer que a justiça se cumpra. A comparação que Jesus usa é com comida e bebida, isto é, necessidades básicas para a sobrevivência humana. Era como se Jesus estivesse dizendo: bem-sucedidos são aqueles que, além de desejarem o cumprimento da justiça, dependem dela para sobreviver.

A palavra que no original grego é traduzida por "justiça" é *dikaiosune*. Uma das definições para esse termo é *integridade*. Em outras palavras, Jesus estava dizendo: "Bem-aventurados os que desejam ser íntegros". Com isso em mente, precisamos compreender o que de fato é *integridade*. O adjetivo "íntegro" vem do latim *integrare*, que significa "tornar inteiro, fazer um só".

Diferente do que muitas pessoas pensam, ser íntegro não é ser perfeito; caso fosse, ninguém poderia ser considerado íntegro. Ser uma pessoa de integridade é ser inteiro, é ser um só. Ou seja, é não se particionar, não fingir ser quem não é para encaixar-se em diferentes grupos sociais. Um homem integro é aquele que é o mesmo no trabalho, em casa, na igreja e quando está a sós em seu quarto.

Muitos confundem ser íntegro com ser perfeito. Na verdade, reconhecer sua natureza caída é um ato de integridade. As pessoas mais íntegras que já existiram não tinham nenhuma dificuldade de falar de seus erros, pois não fingiam ser quem não eram.

Por muito tempo eu não fui uma pessoa íntegra. Cresci na igreja, filho de pastor, neto de pastor, sobrinho de muitos pastores. E, para surpresa de muitos, isso contribuiu para minha corruptibilidade. Fato é que eu sentia uma grande pressão por parte de todos para que fosse perfeito, ouvindo constantemente afirmações como "Douglas, você tem de obedecer; afinal, você é o filho do pastor"; "Comporte-se; você é filho do pastor".

Com isso, eu desenvolvi uma grande habilidade de esconder pecados e fingir estar sempre bem. Não conseguia confessar meus erros a ninguém, tampouco expor minhas lutas e, assim, as enfrentava sozinho. Claro que sempre terminava derrotado. Até que, finalmente, entendi! Não importa o que as pessoas pensam sobre mim, o importante é o que Deus pensa a meu respeito. Aprendi também o poder de confessar pecados a pessoas de confiança. Tiago diz: "Portanto, confessem os seus pecados uns aos outros e orem uns pelos outros para serem curados" (Tg 5.16)

Aos olhos de Deus, pessoas de sucesso são íntegras. Não tenha medo de expor quem você realmente é. Somente quando temos a coragem de expor nossas feridas, somos sarados e curados.

Jacó fingiu ser Esaú, seu irmão, a fim de obter a bênção do pai. Ele não foi justo perante aquela situação; fingiu ser outra pessoa para se beneficiar. A cura de Jacó só veio quando ele lutou com Deus no vau de Jaboque. Ao final da luta, surge uma pergunta: "Qual é o seu nome?". Diferente de quando estava diante de seu pai, ele foi íntegro e respondeu: "Jacó". Foi quando o homem que lutara com ele respondeu: "Seu nome não será mais Jacó, mas sim Israel" (Gn 32.28)

Bem-sucedido são aqueles que vencem a batalha contra a carne e reconhecem quem realmente são, pois esses têm seus nomes mudados pelo próprio Deus.

## Bem-sucedidos são amorosos

A quinta bem-aventurança listada por Jesus é: "Bem-aventurados os misericordiosos, pois obterão misericórdia" (Mt 5.7). Pelos dicionários, "misericórdia" significa "pena causada pela miséria alheia". Ou seja, é a capacidade de pôr o coração na miséria do outro, é se importar com a situação das pessoas.

Aos olhos divinos, um indivíduo de sucesso ama pessoas. Ele tem o coração voltado para o próximo.

Vivemos um momento da história em que o amor por coisas cresce cada dia mais. Somos instigados, por todos os lados, a amar objetos. Muitos já chegaram ao ponto de prejudicar pessoas para conquistar bens que desejavam. Em certa ocasião, Jesus chegou à região dos gerasenos e encontrou um homem possesso de uma legião de demônios, a quem ordenou que saíssem dele. O Senhor permitiu que os espíritos malignos entrassem, então, em uma manada de porcos que estava ali próximo. Assim que a legião entrou nos porcos, os animais se lançaram precipício abaixo e todos morreram afogados. Os que viram a cena logo contaram aos moradores da cidade. Qual foi a resposta daquele povo? Se eles amassem pessoas, pediriam a Jesus que ficasse ali por muitos dias e abençoasse sua vida, mas o amor deles pelos porcos era maior que a misericórdia por um ser humano. Por isso, todo o povo da região dos gerasenos suplicou a Jesus que se retirasse (cf. Lc 8.37).

O que fica claro nos quatro evangelhos é que Jesus, o homem mais bem-sucedido da história, tinha a salvação do ser humano no topo de sua lista de prioridades, pois sabia que a salvação da humanidade estava na agenda do Pai, pois traria glória ao nome dele.

Bem-aventurados são aqueles que depositam as emoções e o coração nas pessoas e não nas coisas. São os que têm o próximo em sua lista de prioridades. E os que vivem assim também terão seus nomes no topo da lista de prioridades de outros e de Deus, pois os misericordiosos encontrarão misericórdia.

## Bem-sucedidos são puros de coração

A sexta bem-aventurança estipula: "Bem-aventurados os puros de coração, pois verão a Deus" (Mt 5.8). Jesus estava com seus discípulos em um jardim chamado Getsêmani, quando um grupo de homens chegou de surpresa no local. Uma figura conhecida de Jesus saiu do meio deles e lhe deu um beijo. Era o traidor, Judas. Aquele beijo era o sinal combinado com os guardas romanos, para que identificassem quem era Jesus e o prendessem.

Imediatamente, os guardas agarraram o Senhor para levá-lo preso. Pedro não hesitou em usar a força física: desembainhou a espada e decepou a orelha do servo do sumo sacerdote. Jesus, com toda a mansidão, tocou na orelha do homem ferido e o curou. Em seguida, voltou-se para Pedro e disse: "Guarde a espada! Pois todos os que empunham a espada, pela espada morrerão" (Mt 26.52). Basicamente, o que o Mestre estava dizendo é que não devemos usar violência, pois, se o fizermos, seremos vítimas dela.

O que mais me impressiona nessa passagem é o fato de Pedro estar caminhando com Jesus havia três anos, mas, mesmo assim, carregar uma espada para toda parte. Ele era discípulo da personificação da mansidão e paciência, mas persistia em portar uma arma letal. É interessante Jesus nunca ter pedido a Pedro que parasse de carregar aquela espada. Entendo que o Senhor sabia que sucesso aos olhos de Deus não era apenas mudar o exterior (como tirar a espada da cintura), mas ser puro de coração. Pois, mesmo que Pedro não estivesse carregando uma espada naquele momento, ele arrancaria a orelha daquele homem com os dentes, uma vez que a violência não estava na espada, mas em seu coração.

Deus quer realizar em nós mudanças internas que resultem em transformações externas. Não podemos enganar Deus com nossa casca de santidade, pois ele enxerga o coração e sabe como estamos por dentro.

Sempre que minha filha, Luísa, aparece comendo alguma coisa, Davi logo se aproxima dela com aquele pedido de irmão: "Eu também quero; me dá!". Minha esposa e eu tentamos ensinar os princípios do reino dos céus a eles, por isso dizemos a Luísa: "Você precisa dividir com seu irmão". Então cortamos o lanche ao meio. Porém, nunca conseguimos cortar exatamente no meio; sempre temos um pedaço maior e outro, menor. Isso permite que ensinemos um segundo princípio: considere seu irmão mais importante que você. Por isso, dizemos a ela: "Filha, dê o maior pedaço para o Davi". Ela, resmungando, pega o pedaço maior e lhe dá, de forma ríspida. É nesse momento que enfatizamos mais um princípio celestial, o mais difícil de todos: "Luísa, você precisa fazer isso com alegria". É quando ela se rende e reconhece que não consegue.

Dividir é uma atitude externa; dar o maior pedaço, também; entretanto, para você ser capaz de fazer isso com alegria, é necessário que seu coração esteja em sintonia com suas ações. Podemos treinar o exterior, mas a pureza de coração é uma obra do Espírito Santo em nossa vida.

Sucesso para Deus é termos a fonte de nossas decisões transformada, purificada por seu Espírito Santo. Por isso, clame a ele pela manifestação dessa característica em sua vida, pois apenas ele pode concedê-la a você. Não se contente com pureza exterior; busque uma transformação interna, ambicione ter um coração puro, pois, assim, você verá Deus.

## Bem-sucedidos são agentes da paz

"Bem-aventurados os pacificadores, pois serão chamados filhos de Deus" (Mt 5.9) foi a revelação seguinte de Jesus no Sermão do Monte. A esse respeito, lembro-me de uma anedota bem esclarecedora sobre o que significa pacificar.

Ao final de um culto, um pastor descia do púlpito com sua esposa quando um dos membros da igreja, Juliano, o abordou. Sem nem ao menos cumprimentá-lo direito, o moço já foi disparando: "Pastor, estou muito chateado com o irmão

Fernando. O senhor acredita que ele chamou minha atenção na frente de todo mundo?". Tentando acalmar o rapaz, o pastor lhe disse: "Não fique bravo. Creio que ele não fez por mal". Mas não adiantou muito, porque Juliano continuou a reclamar: "Foi horrível, pastor, todo mundo ficou me olhando com um olhar de julgamento". O pastor, para não prolongar aquela conversa, concluiu: "Você está certo, Juliano". Bateu em seu ombro e se despediu.

Quando o pastor e a esposa chegaram à porta, foram abordados por Fernando, que também disparou a contar sua versão da história: "Pastor, o senhor acredita que tive de dar uma bronca no irmão Juliano, porque ele estava falando mal de uma pessoa sem que ela estivesse presente?". Quando terminou de falar, o pastor colocou a mão em seu ombro e disse: "Você está certo, Fernando". Despediu-se e foi para o carro.

O casal saiu com o veículo, em direção a sua residência. A esposa não resistiu e fez uma observação: "Meu amor, não achei certa a sua atitude na saída da igreja. Você disse para o Juliano que ele estava certo, mas, em seguida, disse para o Fernando que ele também estava certo. Creio que isso não seja correto". O pastor fez silêncio por alguns segundos, para poder pensar, então olhou nos olhos da esposa e disse: "Você está certa, minha querida".

Nós precisamos ser agentes de paz. Servimos a um Deus que é o Príncipe da Paz. Por isso, bem-sucedidos aos olhos do Senhor são aqueles que propagam a paz por onde passam. Mas, para que possamos ser agentes de paz, é preciso que ela esteja dentro de nós.

Em certa ocasião, Jesus estava viajando de barco com seus discípulos quando irrompeu uma tempestade. O vento e as ondas eram tão fortes que começou a entrar água no barco. Sem saber o que fazer, os discípulos foram falar com Jesus, que estava dormindo. Quando não estamos em paz, a primeira coisa que perdemos é o sono. Pessoas sem paz não conseguem dormir. O fato de o Mestre estar dormindo em meio à tormenta mostra que ele estava em paz. Ao ser acordado pelos discípulos, Cristo se levantou e deu ordens ao vento e ao mar para se acalmarem. A tempestade parou e houve completa bonança.

O que aprendo nesse relato é que Jesus alinhou o ambiente externo ao seu estado interno. Ele pôde ordenar que mar e vento ficassem em paz porque aquela paz reinava dentro dele. Se quisermos ser agentes de paz onde Deus nos colocou, primeiro devemos tê-la dentro de nós.

E, quando essa paz reina em nós, somos reconhecidos como filhos de Deus.

## Bem-sucedidos são perseguidos

Jesus chega à penúltima bem-aventurança falando sobre um assunto amargo para qualquer pessoa: perseguição. "Bem-aventurados os perseguidos por causa da justiça, pois deles é o Reino dos céus" (Mt 5.10).

Ao proferir uma palestra, o pastor Francis Chan pôs em cima do palco uma barra daquelas usadas em competições de ginástica olímpica. Ele subiu na barra e ministrou parte da palestra em cima dela. Chan perguntou para as pessoas quão arriscada era a vida que levavam, quanto elas estavam ousando. "Você está correndo riscos? Você está fazendo uma apresentação arriscada?", ele perguntou aos presentes. De repente, ele se sentou na barra e começou a descrever muitas pessoas dentro da igreja que desejam uma vida segura, tranquila e sem riscos. "Que nota você receberá com a sua apresentação? Quando você morrer e estiver diante do grande Juiz, que nota ele lhe dará por seu desempenho? O que ele dirá a alguém que passou a apresentação toda sentado ou deitado na barra, por medo de se arriscar?".

Sucesso, aos olhos de Deus, é abraçar os riscos do desconforto, por amor ao nome de Cristo. É não temer a perseguição; na verdade, é considerá-la um indicativo de que se está vivendo de acordo com a vontade do Senhor. O reino de Deus põe o pensamento deste século de cabeça para baixo. Enquanto este mundo nos ensina a buscar a estabilidade em todas as áreas, Jesus nos ensina a viver de forma arriscada e ousada.

Coragem de assumir riscos é uma característica dos homens de sucesso aos olhos do Senhor. Leia a biografia de grandes homens de Deus que fizeram a diferença em sua geração e você encontrará um padrão que se repete na trajetória de todos: eles viveram de maneira arriscada. Heróis da fé como John Wesley, Martinho Lutero, George Müller e Jonathan Edwards, entre outros, fizeram apresentações de alta *performance* e, creio firmemente, receberam uma nota alta ao se encontrar com o justo Juiz.

Chegou a nossa vez. Os homens e as mulheres de pé na barra de equilíbrio da vida somos nós. Como você tem vivido a sua curta existência? Você se arrisca?

## Padrão para a geração seguinte

Jesus finaliza as bem-aventuranças dizendo: "Bem-aventurados serão vocês quando, por minha causa, os insultarem, os perseguirem e levantarem todo tipo de calúnia contra vocês. Alegrem-se e regozijem-se, porque grande é a sua recompensa nos céus, pois da mesma forma perseguiram os profetas que viveram antes de vocês" (Mt 5.11-12). A orientação do Mestre nos leva a olhar para os profetas que vieram antes de nós, a fim de encontrar modelos de sucesso que nos sirvam de inspiração hoje.

Confesso que tenho dificuldade de encontrar esses modelos na geração anterior à minha. O que vejo com grande frequência são pessoas mais velhas que tendem a buscar, a cada ano que passa, mais estabilidade. A lógica seria pensar que, quanto mais próximo estiver de me encontrar com Deus, mais me desprenderei deste mundo a fim de trabalhar para ele. Porém, o que vemos com assustadora regularidade é que, quanto mais velha uma pessoa fica, menos riscos ela quer correr.

Gosto muito de ministrar a jovens, pois eles não têm medo de fazer grandes mudanças e aceitar desafios. Mas, quando um deles se casa, a tendência é diminuir a intensidade em relação aos riscos de seguir Jesus. Eles acreditam que, agora, precisam dedicar mais tempo ao cônjuge. Quando chega o primeiro filho, a ousadia diminui mais ainda, pois a responsabilidade de cuidar de uma família é muito grande e já não é possível ousar dar passos de fé. Tudo precisa ser estável e meticulosamente calculado.

Quantos missionários foram chamados e vocacionados por Deus, mas se perderam em seu conforto e medo? Quantos evangelistas enterraram seus ministérios pelo excesso de zelo com essa vida terrena? Devemos nos dedicar a fim de que sejamos exemplo de fé para a próxima geração. Que nossos filhos não precisem recorrer aos livros de história para encontrar guerreiros ousados do reino de Deus, mas que os vejam dentro de casa.

Peço a Deus que você seja uma pessoa bem-sucedida. Porém, desejo que seu sucesso não seja diante das testemunhas deste século, mas diante da grande nuvem de testemunhas que nos rodeia, aguardando que terminemos nossa corrida da fé.

Abraão correu o percurso dele e passou a tarefa para Isaque, que também terminou e passou para Jacó, que passou para seus filhos, que passaram para as gerações seguintes. Hoje, esse bastão está em nossas mãos. Portanto, corra! Corra com todas as forças que há em você! Chegou a nossa vez de contribuir na corrida da fé.

Livre-se de tudo que o amarra, que o faz tropeçar, que o atrapalha no objetivo de ser uma pessoa de sucesso, assim como foi o nosso Salvador, Jesus Cristo.

# 8

# O VERDADEIRO PROBLEMA

Para sermos cópias de Jesus, precisamos ser bem-sucedidos aos olhos do Pai, assim como Jesus foi. Qual é, então, o maior impedimento para obtermos sucesso segundo os conceitos de Deus? O que nos para na corrida da fé? O que nos amarra sempre que tentamos viver cada característica citada por Jesus? O problema não são as pessoas, o ambiente em que você vive, nem o contexto em que nasceu. A barreira que precisamos superar é muito maior: o *pecado*. A Palavra de Deus é, entre outras coisas, um livro de estratégias de guerra contra o pecado, e não um manual de como deixar a vida aqui na terra melhor ou mais próspera em termos financeiros. Não podemos olhar para a Bíblia pela ótica humanista.

Veja como funciona o processo de conversão e santificação: você foi a Jesus completamente egoísta, crendo ser o centro do Universo. Você se achava mais importante e com mais direitos que os demais seres do planeta. Sua família era a mais importante que as outras, e seus filhos tinham mais direitos que os dos outros. É compreensível que pensasse assim, pois essas são crenças associadas à natureza humana, que se alinha à mentalidade deste século.

Entretanto, não podemos permanecer dessa maneira depois que passamos a andar com Jesus. O convite dele é para sairmos de cena, negar a nós mesmos e o botarmos no centro de tudo. Nas palavras de Cristo: "Se alguém quiser acompanhar-me, negue-se a si mesmo, tome a sua cruz e siga-me" (Mt 16.24). Parece ser uma ordem dura e desprovida de bondade, mas isso não é verdade. Jesus sabe que seus discípulos serão completos e felizes somente no dia em que desistirem de viver para si mesmos. Viver de modo egoísta é viver infeliz. Viver para si é viver vazio. Por isso, o número de evangélicos frustrados com Deus cresce a cada dia, pois, mesmo depois de convertidos, continuam se achando o centro de tudo. Parece que a única mudança depois de "aceitarem Jesus" é que passaram a ter Deus como meio de conseguir o que querem. Assim, mesmo quando obtêm o que pedem, continuam vazios.

Pessoas como essas olham para as histórias da Bíblia e as interpretam colocando-se no cerne da narrativa, como se fossem os heróis das Escrituras. Leem a história de Davi e Golias, por exemplo, e se identificam com Davi (cf. 1Sm 17). Nesse trecho das Escrituras, Jessé pede a seu filho Davi que leve comida aos irmãos, os quais lutam em uma guerra contra os filisteus. Ao chegar ao local, Davi depara com uma cena lamentável. Todo o exército israelita está amedrontado, pois os filisteus haviam proposto uma luta um contra um. O guerreiro inimigo era Golias, homem de mais de três metros de altura.

Aparentemente, ninguém seria capaz de vencer aquele gigante. Apesar disso, Davi fica inconformado com a situação e se candidata para a luta (cf. v. 32). O rei Saul, por falta de opções, aceita a oferta do jovem, que ruma para o centro do campo de batalha sem proteção nenhuma, apenas com sua funda e cinco pedras que havia pegado no riacho mais próximo. Davi é tão inadequado para aquela batalha que Golias se sente ofendido ao ver o homem que Israel escolheu. Ele acredita que vai massacrá-lo em questão de segundos. Porém, o que não sabe é que não será enfrentado por Davi, mas pelo Todo-poderoso Criador do Universo. Davi pega uma pedra, coloca-a na funda e a arremessa. A pedra acerta a testa de Golias, que cai ao chão. Nisso, o jovem corre, pega a espada do gigante e corta a cabeça dele. Para surpresa de todos, Davi vence.

A interpretação humanista dessa linda história de fé e coragem dirá: "Você é Davi; Golias é o seu maior problema (câncer, dívidas, drogas, divórcio ou o que for). Você precisa conseguir as cinco estratégias que Deus lhe dará para vencer. Você derrotará esse gigante, cortará a cabeça dos seus problemas!". Porém, muitas vezes, erramos as cinco pedras. O que fazer quando o câncer não desaparece? Ou quando o marido não volta para casa? O que dizer a um empresário que, mesmo depois de orar e pedir estratégias a Deus, vê sua empresa ir à falência e seu bom nome, para o buraco?

Essa visão tem criado milhares e milhares de pessoas frustradas com Deus, pois parece que ele não cumpriu sua palavra. Muitas acreditam que o Senhor tem filhos prediletos, pois outros receberam a bênção, mas elas não. A questão é que nós não somos Davi. Nós não somos o centro dessa história, muito menos o personagem principal da narrativa. A Bíblia toda, de Gênesis a Apocalipse, tem uma pessoa como centro: Jesus. Todo o Antigo Testamento é uma preparação para a vinda de uma pessoa: o Filho de Deus.

Davi representa Jesus. Essa história aponta para Cristo. Foi ele quem apareceu em cena como o menor, como alguém aparentemente sem força. Foi ele quem surgiu no meio de um povo amedrontado por um inimigo, chamado pecado, a quem ninguém podia vencer, pois era grande e forte demais. Foi quando Jesus se candidatou a enfrentá-lo, não com uma pedrinha, mas com um pedaço de madeira. A cruz foi a arma que Jesus usou para acertar na testa do pecado e da morte. Na cruz, a morte teve sua cabeça decepada. Jesus venceu.

Você pode estar se perguntando: "Então, quem sou eu nessa história?". Nós somos o exército que se amedronta diante do gigante. Apavorados por causa do pecado e, principalmente, da morte. E, o pior, sem poder fazer nada a respeito. Porém, não devemos nos preocupar: o Filho de Davi apareceu para nos salvar!

Não somos o centro da Palavra de Deus; Jesus é. Nosso grande inimigo não é uma doença, pessoas que nos chateiam ou, muito menos, as dívidas. Nosso verdadeiro problema tem nome: *pecado*, e esse adversário terrível se esconde em cada fibra do nosso ser. Como nos livrarmos dele?

## Um problema eterno

Um dos maiores evangelistas de todos os tempos se chama *problema*. Os dissabores empurraram muita gente para dentro das congregações. Faça um teste: pergunte a um grupo de pessoas o que as impulsionou a procurar o Senhor. Você ouvirá respostas como: "Meu casamento estava por um fio" ou "Já não sabia mais o que fazer com meu filho" ou, ainda, "Cheguei ao fundo do poço do vício".

Os problemas arrastam muitas pessoas para dentro da igreja. Porém, quando elas chegam, é necessário que entendam qual é a verdadeira contrariedade, aquela que é infinitamente maior do que o que as levou a procurar Deus: o pecado. "Pois se vocês viverem de acordo com a carne, morrerão; mas, se pelo Espírito fizerem morrer os atos do corpo, viverão" (Rm 8.13).

Há uma sentença terrível para quem se entrega ao pecado: morte eterna. Imagine que você soubesse que um grupo de terroristas está prestes a sequestrar jovens em um clube. O que espera esses rapazes e moças, entre os quais estão amigos seus, é uma vida de cárcere e torturas. Como você agiria para impedir seus colegas de ir a esse clube? E se eles não acreditassem na ameaça? A condenação eterna é pior do que ser sequestrado e passar o resto da vida sendo torturado por homens cruéis, já que, quando a pessoa morrer, eles não poderão fazer mais nada. Porém, quem vive tranquilo com o pecado e fica sossegado, acreditando em algumas mentiras que o ajudam a aplacar a consciência, está correndo um perigo bem pior. Inferno. Morte eterna. Imagine, cárcere eterno e torturas!

Quando eu era adolescente, minha mãe notou um caroço no seio. Logo procurou um médico para saber o que era aquilo. O especialista, ao analisar, pediu que ela fizesse uma biópsia, ou seja, uma pequena cirurgia que tiraria um pedaço do corpo estranho para análise. Depois de alguns dias, o médico ligou, pedindo que ela fosse ao consultório, na capital de São Paulo, pois ele já tinha o resultado do exame. Minha mãe e meu pai foram juntos. Chegando lá, ouviram o que não queriam: o tumor era maligno. Câncer era o diagnóstico. Meu pai conta que, ao retornarem para casa, ele não conseguiu dirigir até nossa cidade, pois teve de parar debaixo de uma árvore e chorar. O coração de meus pais estava cheio de medo diante daquela trágica notícia.

É possível que você já tenha recebido um diagnóstico de câncer, ou teve pessoas próximas que foram diagnosticadas com doenças potencialmente fatais. Porém, por mais terrível que uma notícia como essa possa ser, ela não se compara ao diagnóstico de Paulo em Romanos 8.13. O que o Espírito Santo diz por meio desse versículo é infinitamente mais terrível que o pior diagnóstico de qualquer médico, pois, nos diagnósticos humanos, a dor cessa com tratamentos ou até mesmo com a morte. No diagnóstico de Deus, nem a morte faz a dor passar; na verdade, a faz piorar. A notícia é terrível: "... se vocês viverem de acordo com a carne, morrerão".

## Graça *versus* obras

Sempre tive dificuldade de entender versículos como Romanos 8.13, pois a impressão que me passa é que nossa salvação ocorre mediante obras, isto é, se fizer tudo de acordo com a vontade da carne, serei condenado, mas, se fizer tudo pelo Espírito, serei salvo. E isso parece contrariar outros textos bíblicos que dizem que a salvação se dá pela graça, enfatizando o fato de não resultar de obras humanas: "Pois vocês são salvos pela graça, por meio da fé, e isto não vem de vocês, é dom de Deus; não por obras, para que ninguém se glorie" (Ef 2.8-9). Se a salvação é de graça, por que, se eu viver de acordo com a carne, não serei salvo? Paulo aponta a lista de obras da carne.

> Ora, as obras da carne são manifestas: imoralidade sexual, impureza e libertinagem; idolatria e feitiçaria; ódio, discórdia, ciúmes, ira, egoísmo, dissensões, facções e inveja; embriaguez, orgias e coisas semelhantes. Eu os advirto, como antes já os adverti: Aqueles que praticam essas coisas não herdarão o Reino de Deus.
>
> Gálatas 5.19-21

Como posso afirmar que a salvação não é fruto de obras, se o texto diz que, se eu praticar os atos descritos nesta lista, não herdarei o reino de Deus? É Paulo quem dá a resposta. Leia com atenção: "Portanto, agora já não há condenação para os que estão em Cristo Jesus, porque por meio de Cristo Jesus a lei do Espírito de vida me libertou da lei do pecado e da morte" (Rm 8.1-2). Quando o texto diz que já não há condenação para os que estão em Cristo Jesus, refere-se à salvação pela graça: Jesus foi condenado em nosso lugar, para que fôssemos absolvidos no lugar dele; ele se fez pecado em nosso lugar, para que pudéssemos ser considerados santos em seu lugar.

Nos termos paulinos, mediante Jesus a lei do Espírito de vida nos livrou da lei do pecado e da morte. Isso diz respeito a obras, a santidade. O texto está dizendo que, por meio de Cristo, vencemos o pecado e andamos em santidade. Qual é a conexão entre salvação e santidade? A resposta está na primeira palavra do versículo 2: "porque". Essa palavra é um conector, usado para apresentar uma justificativa, uma prova, uma evidência em relação à primeira frase. Por exemplo: "Eu estou com fome porque meu estômago está roncando". A fome foi provocada pelo barulho em meu estômago? Não! Na verdade, o ronco em minha barriga prova, evidencia, que estou com fome.

Santidade é a evidência de que uma pessoa foi salva. Salvação é algo interno que se manifesta externamente por meio da santidade. Ninguém é salvo por praticar boas obras, mas por encontrar a graça de Deus. E, ao encontrar a graça de Deus, começa a realizar boas obras. O pregador Charles Spurgeon disse que santidade é o lado visível da salvação. Quando a graça nos alcança, o Espírito da vida faz morada em nós e começa a anular o espírito do pecado e da morte. Esse conflito entre a carne e o Espírito é antigo. O apóstolo Paulo o descreveu: "Não entendo o que faço. Pois não faço o que desejo, mas o que odeio" (Rm 7.15).

Antes dessa afirmação, Paulo constrói uma linha de raciocínio. Ele afirma que os seres humanos são indesculpáveis e estão debaixo da ira de Deus (cf. Rm 1), que os judeus também estavam em apuros (cf. Rm 2) e que não existia ser humano justo diante de Deus. Todos são culpáveis e só podem ser justificados pela fé em Jesus Cristo (cf. Rm 3), já que o próprio Abraão foi justificado dessa maneira (cf. Rm 4). Uma vez justificados, de graça, pela fé, todos os que cressem poderiam desfrutar da paz proveniente de estar bem com Deus, mesmo tendo sido pecadores. Paulo explica, ainda, que isso não quer dizer que os pecadores justificados devam continuar pecando (cf. Rm 5) e prossegue, afirmando que o cristão nascido de novo tem poder para viver sem ser escravo do pecado (cf. Rm 6). Ele destaca também que a lei de Moisés só serviu para sinalizar a incapacidade do homem de se salvar fazendo boas obras ao cumprir os mandamentos. E afirma que, mesmo depois de convertidas, as pessoas se veem em terrível conflito por fazer o oposto do que sabem que deveriam fazer (cf. Rm 7)!

Você já experimentou essa realidade? Vai ao culto, ora, combina com Deus que não vai mais cometer determinado pecado e, quando menos espera, peca de novo. Igualzinho, como se nada tivesse acontecido? Pois é. Quando esse processo começa, você tem duas opções. A primeira é ficar desesperado e continuar dizendo que é assim mesmo, que você é cristão, mas não é exagerado, que é jovem e tem hormônios... e inventar várias desculpas furadas para ficar confortavelmente indo à igreja e pecando. Essa é a pior escolha, pois cauteriza a consciência, e a pessoa passa a viver uma religiosidade fingida, chata e superficial (cf. 2Tm 1.5). Quem escolhe trilhar esse caminho está debaixo da lei do pecado e da morte (cf. Rm 8.2). A outra opção é, na verdade, a única aceitável: não se conformar, mas aprender como Paulo saiu dessa situação terrível. Ele revelou o segredo ao dizer que há duas leis em ação (cf. Rm 8.2): a lei do pecado e da morte contra a lei do Espírito de vida.

Quem escolhe a primeira opção vive no "cai, levanta". Esse indivíduo peca, confessa, peca igualzinho, confessa de novo e prossegue nessa roda-viva, eternamente inventando desculpas e se enganando. O destino de quem fica assim é a morte, a separação de Deus. Quem vive desse jeito não agrada a Deus (cf. Rm 8.7-8), mesmo que frequente os cultos, dê o dízimo e cante no momento de louvor.

Por sua vez, quem está debaixo da lei do Espírito de vida tem poder para fazer o bem e para não pecar. Essa pessoa agrada a Deus sem "fazer força", pois a lei do Espírito de vida a conduz à justiça que o Pai aprecia. Quem vive assim tem a promessa de vida abundante, vida eterna, que alegra o Senhor.

Uma analogia interessante é pensar na lei da gravidade, que atrai os corpos para o centro do planeta. Todos estamos sujeitos a ela. Porém, especialistas descobriram como vencer a lei da gravidade: utilizando outro grupo de leis, as da aerodinâmica, que tornaram possível a um corpo mais pesado que o ar levantar voo e vencer a gravidade. Graças a isso, voamos para todas as partes do mundo em enormes aeronaves. Do mesmo modo, Paulo nos diz que existe uma lei que pode nos "tirar do chão" para que não fiquemos caindo toda hora. Quando a lei do Espírito de vida entra em ação, passamos a andar no Espírito e conseguimos obedecer aos mandamentos, pelo poder do Espírito.

Para tal, precisamos buscar o que é do reino e da dimensão do Espírito. Paulo chama essa postura de ter "a mente voltada para o que o Espírito deseja" (Rm 8.5) Quem deseja acionar essa lei deve orar, humilhar-se, confessar os pecados, cantar, louvar, ler a Bíblia e livros inspiradores, conversar sobre o reino de Deus, contar para os outros sobre Jesus, meditar... Ou seja, se é esse o seu anseio, você precisa fornecer ao Espírito Santo todos os conteúdos possíveis para que este, ao estabelecer sua própria lei, tenha subsídios para agir em sua vida. Por outro lado, se você alimentar a sua carne, assistindo a programas de televisão que instigam o ocultismo, bisbilhotando *sites* pornográficos, fuçando as redes sociais o dia todo e investindo tempo apenas em agradar a carne, entre outras atitudes perniciosas, terá se inclinado para a carne e ela o arrastará para a morte.

Pecar incontrolavelmente é um alerta de que há algo errado com alguém que se diz cristão. Talvez ele não tenha de fato se encontrado com o Jesus da graça e é bem provável que o Espírito da vida não o habite. Ninguém será condenado por pecar, mas por não crer no sacrifício de Jesus. Por isso, se você perceber que está vivendo na carne (cf. Rm 8.8), não foque seus pecados, não ponha suas forças em tentar vencê-los por meio de disciplina, empenho ou piedade humanos. Antes, ponha o foco naquele em quem está a força: Jesus, o autor e consumador da fé (cf. Hb 12.2).

Pare de orar colocando o holofote sobre seus pecados e comece a clamar a Deus que lhe providencie um encontro com a graça, para ser habitação do Espírito da vida, para viver em aliança com Cristo. Tentar resolver apenas os seus pecados sem buscar sanar a origem deles é como cuidar da febre e ignorar a infecção. E isso leva à morte.

## A verdadeira santidade

Essa realidade é evidente em diversas passagens das Escrituras, como: "Porque a graça de Deus se manifestou salvadora a todos os homens. Ela nos ensina a renunciar à impiedade e às paixões mundanas e a viver de maneira sensata, justa e piedosa nesta era presente" (Tt 2.11-12).

O primeiro aspecto da graça é a salvação: "se manifestou salvadora". O segundo aspecto é a santidade: "nos ensina a renunciar à impiedade e às paixões mundanas". A única forma de viver em santidade é pela graça de Deus. Conhecer a lei nunca impediu o homem de pecar. O medo da punição tampouco. O que faz o homem renunciar às paixões mundanas e se inclinar para o Espírito é o amor de Deus.

Certa vez, um pastor amigo, chamado Paulo Lima, pregou em nossa igreja. Na ocasião, ele me pediu para filmar sua ministração. Eu prontamente o atendi e organizei tudo para que a mensagem fosse registrada. Passados alguns dias, ele fez contato e me pediu que produzisse um DVD de sua ministração, pois gostaria de distribuir em sua cidade. Eu disse que o faria, mas comecei a ter dificuldade de encontrar espaço em minha agenda para a produção do DVD. Passaram-se meses e o pastor Paulo frequentemente me perguntava sobre o vídeo. Eu, porém, não lhe dava a devida atenção, estabelecendo outras atividades como prioridade.

Quatro meses depois, fui convidado a ministrar no Rio de Janeiro, cidade de meu amigo Paulo. Quando ele ficou sabendo, entrou em contato comigo e me convidou para ir alguns dias antes, a fim de me hospedar em um apartamento que ele tinha em frente à praia. Como precisava descansar, aceitei o convite, mesmo sabendo que não merecia esse ato de bondade.

Na data marcada, viajei com minha esposa e meus filhos para a Cidade Maravilhosa. Quando chegamos ao aeroporto, o pastor e sua esposa, Cláudia, estavam nos aguardando e, para minha surpresa, com presentes nas mãos: uma bola para Davi e uma boneca para Luísa. Uma vez abertos os presentes, seguimos para um restaurante, onde fomos surpreendidos novamente: Paulo pagou a conta. Depois de almoçar, ele nos levou ao seu apartamento de veraneio, raramente utilizado. Ao chegar lá, percebemos que haviam contratado um serviço de televisão a cabo, pois queriam que meus filhos tivessem canais de desenhos animados para assistir. Se isso não bastasse, também contrataram um serviço de Internet, para que minha esposa e eu pudéssemos nos conectar à *web*. Além de tudo isso, foram absolutamente todas as manhãs até o apartamento, localizado a quarenta minutos de distância de sua residência, a fim de preparar uma mesa de café para minha família. Eles nos levaram à praia, a restaurantes e a pontos turísticos. Abriram mão de sua empresa por alguns dias simplesmente para nos amar.

Quando voltei à minha cidade, pastor Paulo me mandou uma mensagem no celular, com um pedido: "Douglas, será que você poderia fazer aquele DVD para mim?". Dois dias depois, o DVD estava pronto. Como eu poderia deixar de atender aquele que me amou tanto?

A verdadeira santidade não é aquela que flui do medo da punição, mas sim aquela que é gerada pela gratidão por Cristo nos ter amado primeiro. A única forma de recusar a impiedade e as paixões terrenas é por meio da graça, fazendo a vontade do Pai por gratidão ao seu amor demonstrado na cruz do Calvário.

O maior desafio da vida cristã não é amar a Deus, nem vencer o pecado. Nossa luta é para acreditar que "ele nos amou primeiro". E, ao sermos constrangidos por esse amor, responder em amor a ele, por meio da obediência aos seus mandamentos.

Ao fazermos isso, faremos com Cristo o que ele fez com o Pai. E, assim, nos tornaremos cópias de Jesus.

# CONCLUSÃO

Minha oração é que você seja tomado pelo desejo de se parecer com Jesus, que ele seja seu modelo e ideal. Vivendo em meio à juventude nesta era digital, ouço com frequência perguntas como: "Você segue nas redes sociais aquele jogador de futebol?", "Você segue a página daquele humorista?" ou "Você segue o perfil daquele pastor famoso?".

A verdade é que somos influenciados por quem seguimos. Eles começam a moldar nossa maneira de enxergar a vida e as outras pessoas. Seu estilo de vida se infiltra sorrateiramente em nossa maneira de viver. Quando menos percebemos, estamos usando o xampu indicado por eles, comprando o sapato que eles compraram e assistindo àquela série de TV que eles disseram ser muito engraçada.

Lembro-me de que, após o nascimento do meu segundo filho, minha esposa havia ganhado alguns quilos, em razão das duas gestações muito próximas uma da outra. Foi quando ela decidiu que emagreceria. Uma das primeiras atitudes que tomou foi buscar inspiração. Para isso, começou a seguir nas redes sociais diferentes mulheres que tiveram sucesso nessa empreitada. De alguma forma, ver pessoas que haviam emagrecido lhe dava forças para que ela conseguisse também. Seguir alguém bem-sucedido em algo nos leva a desejar — e, muitas vezes, alcançar — o mesmo sucesso.

Por isso, é inevitável terminar este livro fazendo uma pergunta: quem você está seguindo? Não apenas nas redes sociais, mas na vida? Quem o influencia? Quem é o seu modelo? Quem você copia?

Meu desejo é que você termine este livro tendo Jesus como modelo. Espero que você tenha aceitado o convite que ele faz a todos que se aproximam dele: "Siga-me". E, uma vez que tenha iniciado a jornada com Cristo, continue nela por toda a vida, a fim de ser transformado, dia após dia, à sua imagem e semelhança — tornando-se uma cópia dele.

Peço a Deus que essa transformação não pare em você. Mas que, além de discípulo, você também se torne um pescador de homens, dedicado a levar outras pessoas a desejarem ser iguais a Jesus.

"Portanto, sejam imitadores de Deus, como filhos amados, e vivam em amor, como também Cristo nos amou e se entregou por nós como oferta e sacrifício de aroma agradável a Deus."

Efésios 5.1-2

# SOBRE O AUTOR

Douglas Gonçalves é pastor de jovens do ministério Família Debaixo da Graça, em Bragança Paulista (SP). Idealizador e coordenador da mobilização JesusCopy®, é psicólogo com especialização em *coaching* e palestrante requisitado em congressos de jovens por todo o Brasil. Casado com Valéria, é pai de Luísa e Davi.

# ANOTAÇÕES

Compartilhe suas impressões de leitura escrevendo para:
opiniao-do-leitor@mundocristao.com.br
Acesse nosso *site*: www.mundocristao.com.br

*Equipe MC*: Maurício Zágari (editor)
Ester Tarrone
Heda Lopes
*Diagramação*: Luciana Di Iorio
*Preparação*: Luciana Chagas
*Revisão*: Josemar de Souza Pinto
*Gráfica*: Imprensa da Fé
*Fonte*: ITC Berkeley Oldstyle Std
*Papel*: Pólen Soft 70 g/m2 (miolo)
Cartão 250 g/m2 (capa)